Avec toute notre affection
Andrée
Catherine
Monik
7 juillet 92.

DES GUIDES POUR

DES GUIDES POUR

TABLES DES GRANDS JOURS

Susy Smith et Karen Lansdown

FLEURUS
IDEES

Editions Fleurus, 11, rue Duguay-Trouin 75006 Paris

SOMMAIRE

INTRODUCTION

Vous aimez recevoir à dîner et vous accordez un soin extrême à la composition du menu et à la préparation des plats. Mais avez-vous pensé à réjouir autant les yeux de vos invités ? Un centre de table décoratif, une serviette pliée de manière originale ou un petit cadeau placé à côté de chaque assiette, autant de détails qui feront de l'occasion une véritable fête. L'objectif de notre ouvrage est de vous aider à personnaliser et à donner un air de fête à vos dîners, que vous receviez le directeur de votre mari, vos amis ou votre famille. Pour plus de clarté, nous avons divisé le livre en différents chapitres traitant de chaque article nécessaire à la décoration d'une table : les centres de table, les serviettes, les nappes et les sets, les marque-places et les cadeaux. Vous y trouverez une foule de modèles, chacun accompagné d'une série d'instructions simples illustrées par des photographies. Mis à part la décoration, la disposition même d'une table doit respecter un certain nombre de critères, notamment sur le choix de la vaisselle, de l'argenterie et de la verrerie. Savez-vous utiliser une carafe ? Etes-vous capable de marier les vins et les plats sans vous tromper ? Connaissez-vous les règles fondamentales de l'étiquette ? Toutes ces questions, et bien d'autres, sont abordées dans notre ouvrage. Tournez vite la page !

·LA DÉCORATION DE LA TABLE —

Vous invitez des amis à dîner. De toute évidence, vous allez leur préparer un bon repas. Toutefois, n'oubliez pas pour autant la présentation. Cela s'applique autant à l'atmosphère créée par l'éclairage et la disposition de la pièce qu'à la vaisselle et à la manière dont vous aurez dressé la table. Vous ne possédez ni nappe en coton damassé, ni service en cristal taillé, ni porcelaine de Limoges ? Qu'importe, avec un peu d'enthousiasme et d'imagination, votre table revêtira un air de fête. En effet, les tables dressées à partir de rien sont souvent plus décoratives et originales que celles qui respectent trop les conventions. Dans cet ouvrage, la plupart des idées proposées utilisent des matériaux courants et peu onéreux que, dans nombre de cas, vous possédez déjà.

—— CHOISISSEZ VOTRE STYLE ——

Il n'est pas toujours aisé de choisir la vaisselle appropriée. Devez-vous opter pour un style contemporain assorti aux teintes actuelles de votre salle à manger ou préférer un service classique qui ne se démodera pas ? Quel qu'il soit, un choix présente toujours des avantages et des inconvénients. En fin de compte, il dépendra surtout de la somme que vous voulez consacrer à cet achat.
Pour déterminer le style et les teintes de votre service de table, définissez un point de départ, par exemple les coloris et le style du mobilier de la salle à manger. De nos jours, on peut parfaitement coordonner la vaisselle, le linge de table et les couverts aux tapisseries, aux tapis ou aux tissus d'ameublement.
Si vous possédez une table en beau bois, qu'il soit massif ou plaqué, placez des sets de table au lieu de la dissimuler sous une nappe, aussi belle fut-elle. Vous préférez le classique ? Choisissez des sets de table reprenant des illustrations anciennes, des scènes de chasse par exemple. Sur une table en pin, des sets en liège ou en raphia renforcent la note rustique. Pour une table moderne, choisissez plutôt des sets unis aux formes géométriques qui ne jureront pas avec la ligne générale du mobilier.
Mais vous êtes peut-être une inconditionnelle des nappes. Il en existe de toutes les tailles et de toutes les teintes. Si toutefois vous n'en trouviez pas à assortir à la vaisselle ou au décor, il suffirait d'acheter un métrage de tissu et de la réaliser vous-même en ourlant les bords aux dimensions voulues. Selon la taille de la table, il sera peut-être nécessaire d'assembler deux morceaux de tissu. Dans ce cas, veillez au raccord pour que la couture reste invisible.

Au moment de choisir la vaisselle, n'oubliez pas qu'elle ne doit pas seulement « faire beau » sur la table. Il faut qu'elle mette les aliments en valeur et qu'elle ne soit pas trop fragile. Vous pouvez aussi, suivant une ancienne coutume très à la mode aujourd'hui, utiliser une assiette de présentation ou assiette de bienvenue. Plus large qu'une assiette ordinaire, elle restera en place pendant tout le repas, à la manière d'un set de table. Puisqu'on ne met jamais de nourriture dans ces assiettes, elles peuvent être agrémentées de motifs fragiles et plus élaborés. Elles mettent joliment en valeur la porcelaine blanche. Et dès que vous souhaitez créer un style différent, il suffit de changer ces assiettes de bienvenue. Pourquoi ne pas les fabriquer vous-même en dorant à la bombe des assiettes en verre bon marché (voir ci-dessus).

Toutes les boutiques proposent des couverts aussi différents qu'originaux. Choisissez la taille, la couleur et la matière en fonction de la vaisselle. Les manches de couleur sont très attrayants, mais ils risquent de se démoder. A nouveau, privilégiez les formes et les coloris simples. Les accessoires, les fleurs ou les serviettes de couleur se chargeront d'apporter la touche décorative.

Vous disposez des éléments de base. Le moment est venu de vous intéresser à la décoration proprement dite. Pour ce faire, inspirez-vous des nombreux modèles proposés dans cet ouvrage.

LA VAISSELLE ET LE LINGE

Aujourd'hui, nous disposons d'un vaste éventail de modèles de services de table pour tous les goûts et toutes les bourses. Pour la vaisselle de tous les jours, il est préférable de choisir des articles peu onéreux et résistants. Réservez les services luxueux aux grandes occasions. Si le modèle qui vous plaît est assez cher, n'oubliez pas qu'il est souvent possible d'acheter chaque pièce séparément, aussi bien les assiettes que les couverts, pour constituer peu à peu le service entier. Dans ce cas, optez pour des modèles qui ne risquent pas de se démoder ou de disparaître de la vente.

LES VERRES

Il existe des centaines de modèles de verres, des plus simples aux plus finement ouvragés, des plus modernes aux plus anciens, avec ou sans pied. Les prix varient énormément et les verres travaillés à la main sont généralement beaucoup plus chers que ceux réalisés à la machine. Les plus beaux sont sans doute les verres en cristal, qui contiennent environ 30% d'oxyde de plomb. Certains services contiennent un peu moins d'oxyde de plomb et permettent de bénéficier de l'éclat du cristal pour un moindre coût. Certains verres sont très beaux, mais la luminosité du cristal est irremplaçable. De nos jours, on fabrique également des services en verre recyclé. Leurs teintes bleutées et leurs bulles d'air noyées dans l'épaisseur donneront beaucoup de charme à votre table.
A l'heure actuelle, les règles d'utilisation des verres sont moins strictes que par le passé. Pour l'apéritif, on utilise les gobelets ou les chopes à whisky, et les verres à porto. A table, un grand verre à eau, un ou deux verres à vin, de taille moyenne pour le vin rouge, plus petit pour le vin blanc (les amateurs préfèrent les modèles dont le col s'incurve légèrement vers l'extérieur).
Pour les digestifs, il existe différents petits verres, cependant les verres à cognac pourront vous servir pour tous les alcools.
Pour le champagne, préférez les flûtes aux coupes qui en laissent échapper le bouquet. Pour choisir votre verrerie, aidez-vous du tableau ci-contre.
Lavez les verres avec beaucoup de soin, de préférence à la main, et essuyez-les tout de suite avec un torchon fin. Le lave-vaisselle ne pose aucun problème en général. Il est toutefois prudent de vous renseigner auprès du magasin où vous vous serez procuré vos verres, ou de n'en mettre qu'un seul la première fois. En effet, il arrive que certains se ternissent.

LES ASSIETTES ET LES PLATS

Les assiettes et les plats peuvent être en porcelaine, en faïence, en terre cuite, en grès, voire en plastique ! La porcelaine ancienne est translucide, mais ce n'est plus vrai des porcelaines fabriquées aujourd'hui. La porcelaine fine, traitée avec précaution, dure toute une vie. Ne placez jamais les services anciens décorés à la main ou les motifs peints à l'or fin dans un lave-vaisselle. Par contre, les services modernes sont conçus en conséquence. Vérifiez tout de même qu'ils sont garantis pour le lavage en machine. De même, ne mettez pas la porcelaine décorée à l'or ou au platine, dans un four à micro-ondes. Non seulement cela endommagera le décor mais cela risque d'abîmer le four lui-même. Ne mettez au four traditionnel que les porcelaines dites à feu.

La qualité, la beauté, le prix de la terre cuite, de la faïence et du grès, plus lourds et plus épais que la porcelaine, diffèrent considérablement. Non vernie, la terre cuite est poreuse ; elle s'ébrèche facilement et ne supporte pas la chaleur extrême d'un four. La terre cuite vernie dure plus longtemps, mais le grès est, de loin, le type de poterie le plus résistant. Le grès à feu peut être mis au four et présenté à table. De nos jours, il existe une grande variété de vaisselle « du four à la table » que l'on peut parfois même utiliser pour congeler les plats.

Si vous possédez un lave-vaisselle, il déterminera votre choix. Le fabricant précise en général les conditions d'utilisation des différents matériaux : respectez-les.

Il est conseillé de placer une bassine en plastique ou une feuille de plastique épais dans l'évier afin d'éviter d'ébrécher et de casser vos plats. Au lieu de gratter les assiettes avec un couteau pour ôter les déchets, essuyez-les avec une serviette en papier ou avec les mains (protégées avec des gants). Pour la porcelaine fine, l'argenterie et les verres, prévoyez une éponge douce et une brosse souple pour enlever les déchets incrustés dans les rainures.

LES COUVERTS

Pour les couverts, vous avez le choix entre l'acier inoxydable, le métal argenté et l'argent massif. Certains modèles possèdent un manche en corne ou en bois, d'autres, plus modernes, possèdent un manche en plastique ou en résine colorés. Vous aurez certainement envie de les assortir à votre service ou au linge de table. Choisissez des teintes neutres de manière à pouvoir aisément changer de ton. Ne lavez pas les couteaux anciens, ceux aux manches en bois ou en corne, dans un lave-vaisselle car ils s'abîmeraient. Même à la main, ne laissez jamais les manches

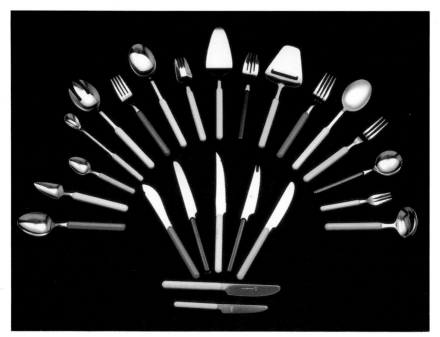

Voici un éventail de couleurs qui permettent d'assortir les couverts à la vaisselle. Les modèles plus classiques en argent ou en acier inoxydable s'harmonisent évidemment plus discrètement avec toutes les décorations de table.

tremper dans l'eau car ils se décolleraient. Essuyez rapidement les couverts afin d'éviter les taches de calcaire.

Contrairement à beaucoup d'idées reçues, les couverts en argent massif passent sans problème au lave-vaisselle. Les couverts en métal argenté aussi, à condition d'être en bon état. En effet, s'ils sont légèrement désargentés, le lavage en machine accélérera leur usure. Il est prudent de ne pas les mêler à de l'acier inoxydable car il se produit un phénomène d'électrolyse... au détriment du métal argenté. Ajoutons tout de même que la vaisselle à la main, suivie d'un essuyage immédiat, donne les meilleurs résultats, même pour les lames des couteaux inoxydables.

LE LINGE DE TABLE

On trouve toujours des nappes traditionnelles en lin blanc ou en coton damassé, mais elles sont chères et nécessitent des soins particuliers. Plus pratiques, notamment pour les repas de tous les jours, les nappes en polyester ou en mélange coton-polyester se lavent rapidement et sèchent en un clin d'oeil.

LA DISPOSITION DE LA TABLE

De nos jours, sauf si vous assistez à un repas de cérémonie très conventionnel, vous ne vous retrouverez jamais devant une multitude de verres et de couverts dont vous ne savez que faire. Toutefois, pour éviter les fautes de goût, il est bon de savoir comment se comporter si le cas se présentait.

LES GRANDS DÎNERS

Pour les couverts, la règle fondamentale qui exige que l'on se serve de chaque ustensile en partant de l'extérieur pour terminer par les couverts les plus proches de l'assiette s'applique dans la majorité des cas, même si la disposition de la table varie légèrement selon le pays dans lequel vous vous trouvez.

On dispose généralement les couverts symétriquement de part et d'autre de l'assiette, les couteaux (tranchant de la lame tourné vers l'assiette) et les cuillères à soupe (pointe vers la nappe) à droite, les fourchettes (pointes vers la nappe) à gauche. La fourchette à poisson se pose à gauche de la fourchette de table, le couteau à poisson entre le couteau de table et la cuillère à soupe. Pour simplifier le travail de la maîtresse de maison, on peut placer les couverts à dessert entre les verres et l'assiette, les deux manches vers la droite, le tranchant de la lame du couteau vers l'assiette. On place la serviette pliée dans le verre à eau, ou sur l'assiette, et

En France, on place les couverts de part et d'autre de l'assiette. On dispose trois verres : un pour l'eau, un pour le vin rouge et un pour le vin blanc. Eventuellement, on ajoute une flûte à champagne.

l'éventuel marque-place devant ou sur celle-ci. Les verres sont disposés derrière l'assiette dans l'ordre suivant : le verre à eau, le verre à vin rouge, le verre à vin blanc, la flûte à champagne (qui peut aussi être placée derrière le verre à vin rouge). Pour un repas au champagne, disposez simplement un verre à eau et une flûte. Notons qu'actuellement, on réserve de plus en plus le champagne à l'apéritif.

LES DÎNERS ENTRE AMIS

Si vous faites un repas sans façons à la maison, en famille ou entre amis, vous pouvez dresser la table en vous inspirant de cette disposition conventionnelle. Dans tous les cas, votre objectif principal doit être de mettre vos invités à l'aise et non de les plonger dans l'embarras dès qu'il s'agit de choisir un verre ou une fourchette. Ne surchargez pas inutilement la table. De toute manière, les dimensions des meubles modernes ne permettent guère d'étaler une véritable exposition d'argenterie et de verres. Réservez la fantaisie à la nappe et à la décoration, jamais à la disposition du couvert. En règle générale, ne dépassez jamais plus de trois pièces de chaque côté de l'assiette. En outre, le choix des couverts dépendra bien évidemment du menu que vous avez composé. N'ajoutez pas une cuillère à soupe s'il n'y a pas de potage mais n'oubliez pas le couvert à poisson si vous prévoyez d'en avoir.

En Amérique, la table est mise différemment. En particulier, les verres sont mis derrière les couteaux et la cuillère, à droite de l'assiette dans l'ordre inverse. Les couverts sont plus nombreux, et placés pointes en l'air.

LE DÉROULEMENT DU REPAS

LE SERVICE ET LA DISPOSITION DES CONVIVES

Il est indispensable d'établir un plan de table précis, notamment si vous recevez des personnalités importantes, ne serait-ce que pour que les convives trouvent rapidement leur place. Les marque-places présentent l'avantage de régler le problème avec le minimum de soucis et constituent une décoration agréable. Si vous ne placez pas ces petits cartons, c'est à vous ou au maître de maison d'indiquer leur place aux convives. Le maître et la maîtresse de maison président la table face à face, les places des invités s'articulant à partir de cet axe en essayant de ne pas faire voisiner, si possible, deux hommes ou deux femmes. Les places d'honneur, à déterminer en fonction du rang social de la personne, de son âge ou du degré d'intimité que vous partagez avec elle, sont situées à la droite puis à la gauche de la maîtresse de maison pour les hommes, à la droite puis à la gauche du maître de maison pour les femmes.

Que vous disposiez de l'aide ou non de personnel, il est essentiel que le service n'entraîne pas de manipulations inutiles qui dérangeraient l'harmonie du repas. Limitez les allées et venues

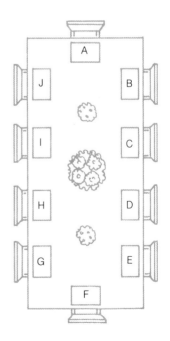

Le schéma ci-contre indique comment placer les convives lors d'un grand repas de cérémonie. Le maître et la maîtresse de maison sont assis face à face, chacun ayant à sa droite l'invité d'honneur du sexe opposé. Mari et femme ne doivent pas être placés côte à côte, sauf de jeunes mariés. A) Maître de maison ; B) Femme ; C) Homme ; D) Femme ; E) Invité d'honneur ; F) Maîtresse de maison ; G) Homme ; H) Femme ; I) Homme ; J) Invitée d'honneur.

au strict nécessaire. Présentez les plats et les assiettes propres par la gauche et retirez les assiettes sales par la droite. On sert d'abord l'invitée d'honneur, puis toutes les autres femmes en terminant par la maîtresse de maison, puis l'invité d'honneur, puis tous les hommes en terminant par le maître de maison. Pour plus de facilité, lors d'un repas sans façons, les invités se servent un par un dans le sens des aiguilles d'une montre. On attend que tous soient servis pour commencer à manger, c'est la maîtresse de maison qui « donne le signal » en commençant elle-même.

En règle générale, on ne fume pas à table. Il est toutefois toléré qu'avec l'accord de la maîtresse de maison, on fume une cigarette après le fromage. Respectez cette règle car l'odeur du tabac dénature le fumet des plats.

C'est le maître de maison qui assure généralement le service des boissons. Si vous recevez seule, demandez à l'un de vos invités d'assumer cette tâche réservée aux hommes. Placez des carafes d'eau sur la table. Les invités se serviront eux-mêmes.

En principe, le café n'est jamais servi à table, sauf si l'atmosphère créée pendant le repas est particulièrement chaleureuse et ne souffre pas d'être interrompue. C'est ensuite le moment de passer au salon et de servir les digestifs.

LES METS ET LES VINS

De nos jours, les règles d'assortiment des vins et des mets sont moins strictes que par le passé. Souvent, tout le repas se déroule avec le même vin ou avec seulement deux crus différents : un léger, un plus corsé. Toutefois, pour les grandes occasions, voici quelques indications utiles qui vous permettront de ne pas passer pour un barbare aux yeux des connaisseurs. Dans tous les cas, respectez la gradation de qualité qui veut que le cru le plus prestigieux soit servi en dernier. Pour la plupart des entrées, des plats froids, des poissons ou des viandes blanches en sauce blanche, servez du vin blanc ou du rosé frappés. Avec les viandes blanches en sauce à base de vin rouge, vous pouvez servir un rouge léger. Les vins corsés correspondent mieux aux plats de viande rouge relevés comme les daubes, les ragoûts, les plats mijotés, les grillades et les rôtis. Il existe également des vins doux, comme le sauternes, que l'on sert au moment du dessert, mais pour être sûre de recueillir tous les suffrages, vous servirez un champagne demi-sec. En bref, le vin et le plat doivent se compléter et se mettre en valeur. Plus le plat est riche, plus le vin doit avoir du corps. Ne laissez pas les vins lourds noyer le goût délicat et subtil d'un plat raffiné.

Le vin rouge doit être servi à la température ambiante et le vin blanc doit être frappé. Par température ambiante, on entend 17° à 18°C. Si vous conservez le vin rouge dans une cave, pensez à le remonter et à l'ouvrir une heure avant le repas pour le faire chambrer. Il prendra ainsi toute sa saveur. Les vins blancs doivent être servis à 6-8°C. Une température trop froide dénaturerait le goût. Si vous servez un grand vin très vieux, versez le d'abord dans une carafe pour le laisser décanter. Cela séparera le vin de la lie (le dépôt qui se forme au fond de la bouteille) et laissera tout le bouquet s'exhaler. Lorsque la lie se sera entièrement déposée au fond de la carafe, d'un seul mouvement, versez le vin dans une carafe propre. On peut ne transvaser le vin qu'une seule fois si on a laissé la bouteille au repos. On se sert d'une carafe à anse et ventrue, appelée carafe à décanter.

Mais tout cela n'est qu'indicatif ! Il existe de très nombreux ouvrages sur le vin, la façon de le boire, les plats avec lesquels ils se marient le mieux, les millésimes, etc. Nous vous renvoyons donc à cette bibliographie pour amateurs et fins gourmets.

Les carafes : à gauche, la forme de ce modèle lui assurait une bonne stabilité sur les bateaux ; au centre, un modèle courant pour les vins ; à droite, carafe utilisée pour le whisky et autres alcools forts.

LES APÉRITIFS ET LES DIGESTIFS

Avant de commencer le repas, on propose généralement un apéritif. Prévoyez un choix de boissons alcoolisées et non alcoolisées : du porto ou du vermouth, un vin doux, un whisky, un apéritif anisé et, éventuellement, les ingrédients pour réaliser des cocktails, jus de tomates et de légumes, jus de fruits, etc. Certaines personnes préfèrent le vin ou le champagne. Avec les boissons, prévoyez des glaçons et quelques petits amuse-gueules (saucisses, biscuits salés, olives, carrés de fromage) qui ne devront pas toutefois couper l'appétit de vos invités.

C'est au moment du café que vous offrirez les digestifs et les cigares. Pour rehaussez le parfum d'un bon cognac, chauffez légèrement les verres entre les mains avant de servir l'alcool.

Certaines personnes aiment le boire dans le fond de leur tasse à café encore chaude : laissez-leur ce plaisir !

L es décors de table s'organisent généralement autour d'un point central. On choisit souvent une coupe de fruits à déguster en fin de repas, un vase empli de fleurs ou, quand l'envie nous prend de faire les choses avec humour, quelque objet plus inhabituel et exotique. L'essentiel est de réaliser un centre de table assez grand qui ne risque toutefois pas de gêner les convives. Il est très déplaisant de devoir se pencher à droite ou à gauche pour converser avec la personne assise en face. Voici quelques idées pour réaliser des centres de table originaux, certains purement décoratifs, d'autres comestibles.

Le raffinement et une touche de
romantisme caractérisent ce décor
conçu pour un mariage. Il convient
également à n'importe quel repas de
cérémonie. Le centre de table fait écho
au ton du fond de nappe. Attention, le
lierre est toxique ! Si vous désirez
consommer les abricots à la fin du
repas, séparez-les du lierre par un
napperon en papier ou posez des
feuilles de vigne.

ABRICOTS ET CRÈME

Pour réaliser ce centre de table estival, placez un napperon en papier sur une coupe à fruits ou sur un plat à gâteaux. Glissez délicatement des feuilles de lierre ou de vigne sous le napperon en les laissant dépasser. Pour leur donner plus d'éclat, lavez les feuilles à l'eau et enduisez-les d'huile.

En maintenant le napperon en place d'une main, disposez les abricots en pyramide. Si vous prévoyez de consommer les fruits, veillez à ce qu'ils ne touchent pas le lierre car celui-ci est toxique. Disposez des branches de freesias autour des abricots.

Piquez également des fleurs entre les abricots : n'importe quelle fleur blanche ou crème conviendra parfaitement. Ici, nous avons utilisé des narcisses. Assurez-vous auprès de votre fleuriste que les fleurs choisies ne sont pas toxiques et que leur contact avec les fruits ne présente aucun risque.

Pour Pâques, vous réaliserez cet adorable nid avec un panier rustique et des œufs variés. Nous avons choisi des œufs de poule, des petits œufs de caille mouchetés (vous pourrez les consommer en hors-d'œuvre) et des œufs en bois sculpté. Remplissez le panier à moitié de papier journal afin de former la base du nid. Ajoutez une épaisseur de paille de bourrage.

Disposez les œufs sur la paille en les manipulant avec délicatesse de manière à ne pas les briser. Veillez à ce que les motifs des coquilles demeurent bien visibles. Pour compléter l'ensemble, nouez un ruban autour de l'anse du panier, en choisissant une couleur assortie à la composition.

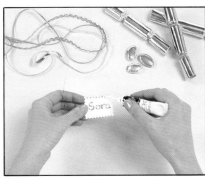

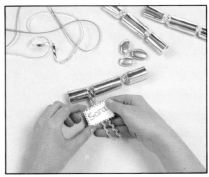

Vous pourrez offrir les papillotes et les dragées de cet élégant centre de table au moment du café. Pour les étiquettes, découpez des carrés et des rectangles de petite taille dans une feuille de carton blanc. Coupez les bords de manière irrégulière. Ecrivez les noms des convives et ajoutez quelques décorations avec de la peinture dorée ou argentée.

Coupez des morceaux de ruban doré et argenté de 15 cm de long. Nouez-en un autour de l'une des extrémités de chaque papillote. Posez un point de colle au dos de chaque carton et collez-les sur les rubans.

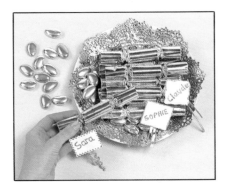

Disposez les papillotes en pile sur une grande assiette recouverte d'un napperon en papier doré. Placez au sommet les papillotes avec étiquette. Pour compléter l'ensemble, entourez la pile de papillotes de dragées dorées et argentées (en vente chez les grands confiseurs).

Ce centre de table utilise les couleurs de l'automne. Dorez des feuilles de lierre, des clémentines et des feuilles de laurier à la bombe. Si vous avez l'intention d'offrir les fruits, assurez-vous auprès du vendeur que la peinture choisie n'est pas toxique.

Disposez les feuilles de lierre tout autour d'un plat ordinaire de forme ovale. Choisissez un récipient très plat de manière à ce que les feuilles retombent légèrement par-dessus le bord.

Disposez les clémentines et entourez-les de dattes et de fruits secs (amandes, noisettes, noix). Placez une grappe de raisin noir au sommet de l'ensemble. Ajoutez les feuilles de laurier et quelques pommes de pin dorées à la bombe.

Ce centre de table convient parfaitement à un repas de cérémonie, tout en étant très facile à réaliser. Avec une brosse de pâtissier, recouvrez chaque fruit de blanc d'œuf (il servira de colle).

En travaillant au-dessus d'une grande assiette ou d'un plat, saupoudrez les fruits de sucre cristallisé de manière à les recouvrir entièrement. Vous obtiendrez le même résultat en plongeant le fruit dans le sucre, mais cette méthode a tendance à rendre le sucre grumeleux.

Avec des feuilles de lierre, formez une bordure décorative. N'oubliez pas de séparer les fruits des feuilles toxiques par un napperon en papier si vous avez l'intention de les consommer par la suite, ou utilisez des feuilles en plastique ou des feuilles de vigne.

A tout moment de l'année, ce bougeoir original décorera agréablement votre table, quelle que soit l'occasion. Procurez-vous une base circulaire (un dessous de plat en liège, par exemple). Fixez des branches de lierre à la base avec des punaises.

Formez une couronne en ajoutant peu à peu les branches de lierre. Prévoyez un petit espace circulaire au centre. Pour apporter un peu d'éclat à l'ensemble, piquez quelques tiges de freesias entre les feuilles.

Disposez au centre de la composition des bougies blanches et vertes de différentes longueurs. Fixez-les sur la base circulaire avec de la colle ou une boulette de pâte à modeler.

Si vous manquez de place sur la table, accrochez vos décorations ! Cette couronne convient parfaitement à un repas de Noël. Avec un coupe-fil, coupez l'extrémité recourbée d'un cintre en fil de fer et formez un cercle avec le fil de fer restant. Enveloppez ce cercle de mousse fraîche sur une épaisseur de 5 cm environ. Maintenez la mousse en place avec du fil de fer ordinaire.

Procurez-vous des branches de conifères (nous avons utilisé des branches de cyprès) et disposez-les de manière à recouvrir entièrement la mousse. Afin de dissimuler les tiges, pensez à faire se chevaucher les branches. Pour fixez les branches à la mousse, utilisez du fil de fer ou de la ficelle.

Ajoutez des branches de houx que vous fixerez avec du fil de fer. Si votre houx manque de baies rouges, fabriquez-en de fausses (des boulettes de papier de soie rouge) et piquez-les çà et là entre les feuilles.

Pour suspendre la couronne, prévoyez deux longueurs de ruban de satin rouge. Il vous faut des longueurs égales à 2 fois la distance qui séparera la couronne du plafond, plus 20 cm pour attacher le ruban à la couronne. Nouez chacune des 4 extrémités sur la couronne en les plaçant de manière à ce que les 2 longueurs de ruban se croisent au centre.

Coupez en 4 un ruban de la même couleur et confectionnez 4 boucles. Fixez-les à la couronne sur les nœuds des rubans prévus pour suspendre la décoration.

Enfoncez des tiges de fer à travers 4 bougies rouges, à environ 1,5 cm de la base (voir photo).

Placez chaque bougie à mi-chemin entre 2 boucles et tordez le fil de fer autour de la couronne pour fixer la bougie. Pour suspendre la couronne, nouez une longueur de ruban à l'endroit où les deux premiers rubans se croisent, faites une boucle et passez-la dans un crochet fixé au plafond.

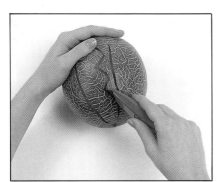

Ce subtil centre de table est aussi artistique que savoureux. Après avoir agrémenté la table le temps du repas, il constituera un dessert rafraîchissant. Avec un couteau bien aiguisé, sculptez l'écorce du melon. Pour le dessin, aidez-vous du modèle présenté ou laissez travailler votre imagination. N'entaillez pas trop profondément la peau pour ne pas percer le fruit.

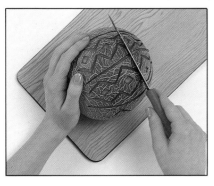

Lorsque le dessin vous satisfait, coupez la partie supérieure du melon qui constituera le couvercle et mettez-la de côté.

Evidez le melon. Sur une assiette, ôtez les graines et coupez la chair du fruit en petits cubes. Mélangez ces cubes à d'autres fruits afin d'obtenir une salade. Garnissez de salade la coupe formée par le melon après avoir disposé des feuilles de menthe fraîche tout autour. Replacez le « couvercle ». Posez alors le melon sur une assiette et entourez-le d'une sélection de fruits.

Pour les centres de table, on utilise très fréquemment des fruits, mais il n'est pas nécessaire de présenter un modèle compliqué. Cette corbeille a simplement été décorée aux couleurs des fruits présentés. Peignez la corbeille, aussi bien à l'extérieur qu'à l'intérieur, avec une peinture à l'eau (gouache) non toxique. Laissez sécher.

Préparez un peu de gouache de couleur différente dans une coupelle. Trempez une éponge naturelle dans la peinture et tamponnez la corbeille. Travaillez ainsi sur tout le tour. Inspirez-vous de notre modèle ou laissez faire votre imagination. Laissez sécher.

Disposez les fruits dans la corbeille. Pour créer un effet de contraste, ajoutez quelques feuilles luisantes. Nous avons opté pour des clémentines, mais le résultat sera encore plus spectaculaire si vous ajoutez des pommes, des bananes et d'autres fruits de votre choix en veillant à assortir les tons de la corbeille.

Cette composition de fleurs séchées convient plus particulièrement aux grands repas d'automne. Placez un bloc de mousse synthétique (dite aussi mousse de fleuriste) dans une corbeille en osier. Donnez la forme générale de l'ensemble en piquant des épis de blé ou d'autres céréales. Ajoutez des capsules de pavots.

Comblez les espaces vides avec de grosses fleurs colorées comme ces achillées mille-feuilles aux teintes chaudes.

Enroulez un morceau de fil de fer autour de la base d'une pomme de pin de manière à former une tige (voir photo). Préparez-en ainsi plusieurs et piquez-les dans la composition.

Ajoutez çà et là d'autres fleurs séchées (statices, lavande de mer) pour étoffer le tout.

Pour apporter une touche de lumière à l'ensemble, placez enfin quelques marguerites blanches. Qu'il s'agisse de fleurs séchées ou fraîches, les espèces blanches illuminent n'importe quel bouquet.

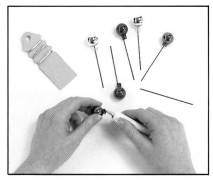

Voici une idée simple pour créer une ambiance de fête. Remplissez un plat en verre de boules, de guirlandes argentées, de papillotes et de plumes de couleur. Pour confectionner les petits bouquets de boules : remplacez la ficelle servant à suspendre les boules par une tige de fer que vous collerez dans l'ouverture de la boule. Laissez sécher.

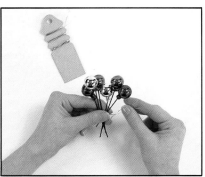

Rassemblez les boules en bouquets en liant les tiges avec un morceau de fil de laiton fin (fil utilisé pour les fusibles).

Enroulez un morceau de bolduc brillant autour des tiges pour dissimuler le fil de laiton. Faites une boucle. Disposez les ornements dans le plat en verre en vous inspirant de la photo ci-dessous.

Au cœur de l'hiver, égayez votre table de fleurs aux teintes insolites. Placez un carré de papier de soie entre 2 morceaux de tulle de couleurs différentes. Posez un vase au centre et rassemblez les 3 épaisseurs autour du vase.

Fixez l'ensemble par un élastique ou un morceau de ficelle que vous dissimulerez avec un ruban de satin de couleur très contrastée. Terminez par une boucle.

Faites bouffer les différentes épaisseurs de tissu et de tulle pour donner un effet vaporeux. Remplissez le vase de fleurs artificielles ou, si vous en avez la possibilité, de fleurs fraîches. Lorsque vous choisissez les fleurs, pensez à les assortir aux coloris du tulle et du papier de soie.

Nous vous le présentons en noir et blanc, mais vous pouvez réaliser ce centre de table dans les coloris de votre choix. Vous pouvez notamment l'assortir au linge de table et à la vaisselle. Fixez les bougies sur l'assiette : allumez une bougie et faites couler la cire sur le fond de l'assiette. Pressez la bougie sur la cire avant qu'elle ne soit refroidie.

Disposez les bougies en groupe. Entourez-les d'un assortiment de billes. Veillez à poser les billes avec délicatesse pour ne pas renverser les bougies ni casser l'assiette.

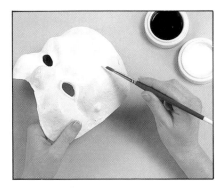

Sur une nappe noire et blanche, un masque d'Arlequin est du plus bel effet. Pour avoir une meilleure idée du résultat, reportez-vous à la photographie des pages 96-97. Procurez-vous les masques (il vous en faut 2) dans un magasin spécialisé, ou réalisez-les vous-même en papier mâché. Peignez ensuite les masques en blanc.

Avec un crayon, tracez un quadrillage sur toute la surface des masques pour former une grille. Il n'est pas nécessaire de dessiner des carrés parfaitement symétriques. Peignez un carré (ou un losange) sur 2 en noir.

Collez un morceau de dentelle ou de tulle sur le pourtour de chaque masque. Ajoutez des plumes de couleur et des rubans. Placez les masques dos à dos, de manière à ce qu'ils se présentent face aux convives, et collez-les.

Les fruits en massepain méritent un traitement spécial. Des petits nids de papier de soie leur serviront d'écrin et ils décoreront agréablement votre table, avant d'être dévorés par les gourmands. Vous pouvez aussi utiliser cette idée pour les marrons glacés et les chocolats. Procurez-vous des feuilles de papier de soie de différentes couleurs et une paire de ciseaux à cranter.

Doublez les feuilles de papier de soie et découpez des rectangles de 10 cm de côté. Les ciseaux à cranter vous permettront d'obtenir des bords parfaits. Découpez des carrés de 6 cm de côté dans des feuilles doublées de papier de soie d'une autre couleur.

Placez les petits carrés au-dessus des grands. Posez le fruit en massepain par-dessus et rassemblez les bords des carrés en bouquet. Pressez le papier pendant quelques secondes pour lui donner une forme, puis lâchez-le. Le papier froissé conservera sa forme de rosette. Disposez plusieurs fruits ainsi enveloppés sur un plat recouvert d'un napperon de dentelle.

Remplacez le traditionnel grand gâteau d'anniversaire par un ensemble de petits gâteaux, chacun surmonté de sa propre bougie. Cette solution ravira particulièrement les enfants. Décorez les gâteaux ou tracez le nom des enfants invités sur chacun d'eux.

Piquez une longue bougie fine dans chaque gâteau et disposez ceux-ci sur un grand plat recouvert d'un napperon en papier. Ne laissez pas les bougies brûler trop longtemps car la cire risquerait de couler sur les gâteaux.

En toute occasion, les bougies créent une atmosphère de fête.
Procurez-vous des bougeoirs en terre cuite. Peignez les bougeoirs à la peinture à l'eau. Passez 2 couches de peinture, de préférence pastel. Choisissez des couleurs coordonnées au linge de table et à la vaisselle.

Décorez ensuite chaque bougeoir avec de la peinture de couleur différente. Si vous souhaitez effectuer des motifs clairs sur une base sombre, dessinez-les d'abord à la peinture blanche que vous recouvrirez de la couleur voulue. Pour obtenir un effet moucheté, travaillez avec une éponge ou éclaboussez le bougeoir de peinture à l'aide d'une brosse.

Rien ne remplace la beauté des bouquets de fleurs fraîches. Le secret d'une composition harmonieuse réside dans le choix des vases et des coloris. Choisissez, par exemple, des récipients de formes différentes mais de même teinte. Ici, la couleur dominante est un vert tendre qui se répète dans les tiges. Les tons rouges et roses des bouquets rehaussent l'ensemble.

Le vase haut contient un bouquet d'anémones, de renoncules, de lys (*Schizostylis*) et d'asters blancs. L'impression de variété vient de la diversité des formes. Dans le petit vase, autour du cœur formé par une grosse anémone rouge foncé, nous avons placé des narcisses nains et des renoncules, le tout agrémenté de branches de nigelles.

Le large col de cette cruche ronde permet de mettre en valeur les roses épanouies. Disposez-les en bouquet serré pour obtenir une forme arrondie qui rappelle celle du vase. Piquez des fines branches d'asters et des têtes de nigelles pour créer un contraste avec les roses.

Voici une merveilleuse idée pour un centre de table printanier ou pour le repas de Pâques. Dans ces corbeilles, les primevères dureront bien plus longtemps qu'en bouquets de fleurs coupées. Doublez les paniers d'une feuille de plastique. Choisissez-la noire pour les corbeilles foncées, blanche ou transparente pour les corbeilles claires.

Placez une couche de mousse fraîche au fond du panier. Elle servira à surélever les pots de fleurs de manière à ce qu'ils arrivent juste au bord du panier. En outre, cela évitera que les racines ne sèchent trop rapidement. De temps à autre, vérifiez que la mousse est bien humide, sinon, mouillez-la de quelques gouttes d'eau.

Disposez les pots de fleurs sur la couche de mousse en les serrant suffisamment pour dissimuler entièrement le fond du panier.

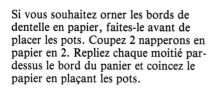

Si vous souhaitez orner les bords de dentelle en papier, faites-le avant de placer les pots. Coupez 2 napperons en papier en 2. Repliez chaque moitié par-dessus le bord du panier et coincez le papier en plaçant les pots.

Pour compléter l'ensemble, nouez des rubans autour de l'anse et terminez par une boucle.

Cette salade de fruits aux couleurs vives égaiera votre table avant de rafraîchir vos invités à l'heure du dessert. Réservez les plus beaux fruits pour la décoration. Nous avons choisi des kiwis et de magnifiques fraises. Découpez les autres fraises en morceaux réguliers. Pelez les mandarines à vif en ôtant soigneusement les filaments blancs.

Epluchez les kiwis et coupez-les en rondelles. Disposez des couches de fruits dans un récipient en verre assez haut. Sur les côtés, placez les morceaux de fruits de manière à ce qu'ils soient entièrement visibles et forment un motif régulier (voir photo du haut).

Epluchez le dernier kiwi et coupez-le en 3 rondelles. Entaillez légèrement l'épaisseur de chaque rondelle de manière à pouvoir les placer à cheval sur le bord du récipient. Pratiquez également une entaille de 1 cm de profondeur dans les fraises réservées et glissez-les sur l'autre bord du récipient. Selon votre goût, vous recouvrirez tout le tour ou seulement 2 côtés.

Même si vous ne possédez pas de très beaux vases, vous pourrez mettre vos fleurs en valeur avec de simples récipients rassemblés au centre de la table. Pour cette composition très naturelle, nous avons placé des bouquets de fleurs des champs dans des pots à confiture et dans des flacons de pharmacie dont la teinte bleutée crée un agréable effet de contraste.

Une gerbe bicolore de fleurs blanches et de feuillage vert amande placée dans un pot en verre ordinaire donne un résultat très raffiné.

Pour un très petit pot, une seule jacinthe suffit. Une simple anémone entourée de feuilles convient à un flacon coloré. Le gros bouquet d'anémones vient garnir un autre pot à confiture. Disposez les vases au centre de la table en ajoutant des flacons vides, originaux par leur forme ou leur couleur.

A vec un peu d'imagination, n'importe quel récipient peut accueillir et mettre en valeur un bouquet. Coordonnez les fleurs aux teintes du vase. Ici, nous avons utilisé une tasse vert pâle et une chope au décor fleuri.

En général, on place les tulipes dans des vases hauts. Ici, les tiges ont été coupées à la hauteur de la chope. Ne supprimez pas les feuilles. Elles créent un bel effet de contraste, tant au niveau des couleurs qu'au niveau des formes.

Remplissez d'abord la tasse verte de freesias. Ajoutez des anémones en les répartissant régulièrement sur l'arrondi du bouquet. Leur teinte fait subtilement écho au rose vif des tulipes de l'autre composition. Placez les 2 bouquets au centre de la table.

Rien ne vaut les fleurs pour décorer une table. Voici une variante simple et facile à réaliser. Remplissez d'eau un plat creux en verre ou en céramique jusqu'à 2 cm du bord. Coupez les tiges des fleurs au ras des pétales et placez les têtes sur l'eau.

Les fleurs à grosse tête (tulipes, roses, etc.) flottent mieux que les autres. Cependant, vous pouvez ajouter de petites orchidées pour créer un effet de contraste.

Comme touche finale, placez 3 ou 4 bougies flottantes. Veillez à ne pas surcharger le plat de fleurs car elles risqueraient de prendre feu au contact de la flamme des bougies.

Ce superbe centre de table est digne d'un repas de noces. Sa réalisation exige un peu de soin, mais le résultat en vaut la peine. Placez un bloc de mousse de fleuriste au centre d'un grand plateau. Confectionnez une « jupe » de feuilles de laurier en les fixant une par une autour de la mousse. Donnez la forme générale de la composition en piquant quelques feuillages d'eucalyptus.

Lorsque vous avez obtenu une forme pyramidale, ajoutez des gerbes de glaïeul blanc en bouton et des arums, qui trancheront agréablement sur la verdure. Veillez à conserver une ligne régulière. N'oubliez pas que la composition sera placée au centre de la table et visible de tous les côtés. Assurez-vous que vous n'avez pas laissé d'espaces vides.

Insérez des gerbes de chrysanthèmes et de lilas blanc parmi les autres fleurs blanches. Travaillez en tournant la composition de manière à respecter l'équilibre de l'ensemble.

Pour terminer, rehaussez le bouquet de
roses et de tulipes roses. Ici encore, il
est essentiel de conserver la symétrie en
travaillant tout autour de l'ensemble.
Les taches de couleur doivent être
régulièrement réparties sur le pourtour
de la composition. Placez certaines
fleurs assez bas, en enfonçant leur tige
horizontalement dans la mousse.

Ces petits sapins apporteront une note amusante à votre table de réveillon. Pour le sapin doré, confectionnez des petites boucles de ruban ou de bolduc doré. Enroulez un collier de perles en plastique doré autour de l'arbre, en commençant par la cime. Fixez les boucles entre les méandres de la guirlande de perles.

Enroulez une longueur de ruban écossais (ou autre) autour du pot et fixez les extrémités avec de la colle pour tissu. Nouez une ganse dans le même ruban et fixez-la avec de la colle ou une épingle sur le premier ruban.

Pour le décor rouge, prévoyez des morceaux de ruban très fin de 15 cm de long. Confectionnez des petites boucles et fixez-les sur l'arbre.

Attachez des boules et autres garnitures rouges sur l'arbre. Si les branches sont bien serrées, il suffit de poser les décorations dessus. Nouez un ruban de satin autour du pot (voir photo).

Ce gâteau original sera l'attraction de votre fête de Noël. Confectionnez un gâteau type gâteau de Savoie ou génoise et faites-le cuire dans un moule en forme de sapin (en vente dans les boutiques spécialisées). Pour la garniture, le plus simple est d'utiliser du fondant prêt à l'emploi ou de la pâte d'amande. Formez une boule et incorporez un colorant alimentaire vert.

Saupoudrez une surface plane de sucre glace pour éviter que la pâte ne colle, puis abaissez au rouleau le fondant coloré.

Enroulez le fondant autour du rouleau à pâtisserie et déroulez-le sur le gâteau. Enveloppez soigneusement celui-ci en marquant bien la forme de sapin. Pour éviter que le fondant ne se déchire, humectez vos mains d'eau froide.

Enfoncez des petites perles alimentaires argentées dans le fondant. Elles imitent les guirlandes du sapin.

Confectionnez des petites boucles de ruban rouge et placez-les sur le gâteau. Vous pouvez les fixer avec des épingles à tête, mais n'oubliez pas de les ôter avant de servir vos invités !

Disposez quelques objets (qui figureront les cadeaux) à la base de l'arbre. Ici, nous avons utilisé des décorations traditionnelles de Noël.

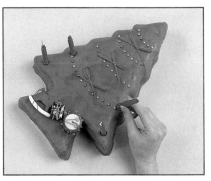

Pour compléter l'ensemble, enfoncez des bougies rouges sur le pourtour de l'arbre. Allumez-les juste avant de présenter le gâteau à vos invités.

De nos jours, les maîtresses de maison utilisent de moins en moins le linge de table qui faisait la fierté de leurs grand-mères. Les nappes et les serviettes en papier, les sets de table en plastique lavables ont remplacé les étoffes damassées des trousseaux d'antan. Pour retrouver un peu de l'apparence luxueuse des tables d'autrefois, nous vous proposons de réaliser vous-même votre nappe, vos serviettes ou vos sets de table, et ce à peu de frais. Cela vous permettra également de changer souvent de style et d'adapter votre décor à chaque occasion sans changer de linge ou de vaisselle.

Ce décor campagnard convient à toutes
les époques de l'année. Chaque place
est marquée par des motifs simples qui
rappellent ceux de la vaisselle. Ils ont
été réalisés, comme ceux des serviettes,
avec une pomme de terre utilisée
comme tampon. Les verres épais et les
manches en bois des couverts
renforcent la note rustique.

Il est facile de décorer une nappe blanche d'un motif assorti à votre service. Taillez une pomme de terrre à la dimension du motif désiré. Avec un couteau bien aiguisé, sculptez le motif sur une des faces de la pomme de terre. La feuille réalisée ici mesure environ 3 cm de côté.

Procurez-vous de la peinture pour tissu ou, si vous travaillez sur une nappe en papier, de la gouache. Passez le motif de la pomme de terre à la peinture en veillant à l'étaler régulièrement.

Tracez la forme du set sur une feuille de papier cartonné. Découpez-le. Placez ce gabarit sous la nappe : il vous servira de guide lors de l'impression. Appuyez la pomme de terre sur la nappe en veillant à ne pas faire de taches. Entraînez-vous d'abord sur une feuille de papier brouillon. Pour réaliser le motif de la serviette, travaillez de la même manière.

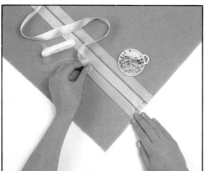

La réalisation de cette ravissante nappe aux tons pastel exige un peu de patience. Procurez-vous une nappe unie et suffisamment de ruban dans chaque coloris pour faire le tour de la nappe, plus 24 cm. Doublez les rubans de thermocollant, sauf à l'endroit où ils se croisent (voir photo). Fixez-les au bord de la nappe avec des épingles à tête.

Travaillez ainsi sur le tour de la nappe en veillant à placer les rubans bien droits. Aux coins, croisez-les en les passant les uns en dessous des autres comme si vous vouliez les tresser. Laissez dépasser les rubans de 3 cm au bord pour pouvoir les rabattre ensuite. Si vous confectionnez vous-même la nappe, vous rabattrez les extrémités des rubans en cousant l'ourlet.

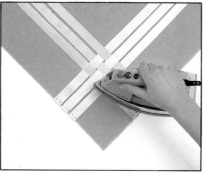

Remplacez les épingles par des points invisibles. Passez un fer chaud sur les rubans de manière à faire prendre le thermocollant. Pour terminer, ourlez les bords ou fixez les extrémités des rubans sur l'envers par des coutures invisibles réalisées à la main.

Ici encore, il s'agit de décorer une nappe avec un « tampon », mais ce sera un tampon de chiffon. Préparez un mélange de peinture et d'eau (de la gouache pour une nappe en papier, de la peinture spéciale pour une nappe en tissu). Roulez un chiffon propre en boule et trempez-le dans la peinture. Tamponnez le chiffon sur une feuille de papier journal pour ôter l'excédent de peinture.

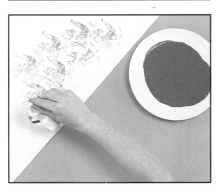

Entraînez-vous sur une feuille de papier brouillon. Lorsque vous vous sentez prête, tamponnez la surface de la nappe. Nous n'avons utilisé qu'une couleur, mais vous pouvez fort bien recommencer l'opération avec une teinte différente. Si vous utilisez de la peinture spéciale pour tissu, suivez soigneusement les instructions du fabricant.

Une nape blanche, un pinceau et de la peinture de couleur vive suffisent pour créer une nape très originale. Choisissez soigneusement la brosse en fonction des dimensions du motif souhaité. Travaillez avec une peinture spéciale pour tissu. Sur une nape en papier, le résultat ne serait pas aussi heureux car la peinture doit être appliquée en couches épaisses.

Entraînez-vous sur une feuille de papier brouillon. Trempez la brosse dans la peinture avant chaque application. Décorez la nape en travaillant d'abord avec la peinture de couleur claire. Laissez sécher.

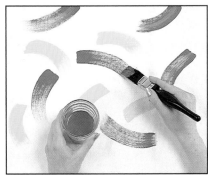

Appliquez le deuxième coloris en allongeant les coups de pinceau pour éclaircir la couche de peinture à l'extrémité du motif. Pour fixer la peinture, suivez soigneusement les instructions du fabricant.

Ce motif doré ajoutera une note luxueuse à vos repas de fête. Choisissez une forme simple comme la fleur de lys présentée ici. Travaillez sur une nappe ou sur un morceau de coton blanc. Tracez les formes au crayon. Avec un pinceau très fin, repassez les traits de crayon à la peinture dorée.

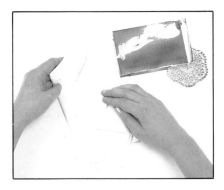

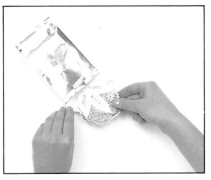

Pour renforcer l'effet créé par les motifs de la nappe, enveloppez les serviettes dans un étui de papier doré. Pour ce modèle, nous avons choisi des serviettes bordées de dentelle. Pliez-les en 4 et rabattez les côtés au dos (voir photo). Laissez dépasser la dentelle de manière à ce qu'elle soit bien visible.

Glissez chaque serviette, la dentelle tournée vers l'extérieur, dans un petit sac en papier cadeau doré. Pour que la dentelle se détache bien sur la vaisselle blanche, insérez un petit napperon en papier doré sous la serviette.

Cette idée toute simple transformera la nappe la plus ordinaire en décor raffiné. Choisissez de préférence une nappe unie, blanche ou aux tons assortis à la vaisselle. Procurez-vous de petites fleurs artificielles en papier ou en tissu.

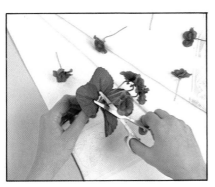

Si vous avez choisi des fleurs en bouquets, séparez chaque tige et mettez les feuilles de côté.

Cousez les fleurs une par une sur la nappe en les disposant de façon harmonieuse. Vous pouvez simplement garnir chaque place de 2 ou 3 fleurs ou préférer recouvrir toute la nappe. Dans ce cas, n'oubliez pas de prévoir de la place pour les assiettes et pour les plats. Confectionnez par ailleurs des bouquets de plusieurs feuilles autour d'une fleur et placez-les sur les assiettes des convives.

Pour réaliser ce décor luxueux, procurez-vous de vieilles assiettes en porcelaine blanche ou en verre. Leur diamètre doit mesurer 1,5 à 2,5 cm de plus que celui des assiettes du dessus. Il vous faut également des feuilles (au moment de Noël, des feuilles de houx et du gui), de la peinture dorée non toxique en bombe et des dragées argentées.

Posez l'assiette à décorer sur une feuille de papier brouillon ou un journal. Vaporisez la peinture en suivant à la lettre les instructions du fabricant. Le résultat doit être très régulier.

Placez les feuilles sur une feuille de papier journal et dorez-les à la bombe. Laissez sécher 15 à 20 minutes. Disposez les feuilles sur l'assiette blanche du dessus avec une petite branche de gui de couleur naturelle pour créer un effet de contraste. Pour compléter l'ensemble, ajoutez des dragées argentées.

Ce set de table spectaculaire est très facile à réaliser avec de la frise de papier adhésif. Nous avons assorti les tons au décor de la table présentée pages 96-97. Coupez un morceau de carton fort de 30 cm de côté. Pour obtenir un résultat impeccable, aidez-vous d'une règle et d'un cutter.

Coupez 4 longueurs de frise en prévoyant quelques centimètres en plus pour réaliser les coins. Disposez 2 frises à angle droit en faisant coïncider les motifs. Coupez les extrémités en biais de manière à ce qu'elles se joignent parfaitement (voir photo). Effectuez la même opération pour les 3 autres coins.

Maintenez soigneusement chaque bande en place en appuyant sur le bord intérieur. Otez progressivement la feuille protectrice de l'adhésif et collez les frises sur la feuille de carton en suivant bien le bord. Supprimez les bulles éventuelles en les faisant glisser vers l'extérieur à l'aide d'un chiffon propre.

Un simple coup d'éponge et vous pourrez réutiliser aisément ces sets de table en vinyle. Prévoyez un carré de carton fort de 30 cm de côté. Mesurez la diagonale du carré (ici, 42,5 cm) et tracez un carré de côté égal à cette diagonale sur l'envers de la feuille de vinyle. Découpez.

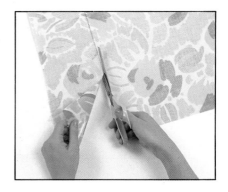

Placez le carton en diagonale sur la feuille de vinyle (voir photo). Appliquez une couche de colle forte sur toute la surface du carton et sur l'envers des triangles visibles de la feuille de vinyle. Attendez quelques secondes que la colle épaississe.

Repliez chaque triangle de vinyle sur le carton de manière à ce que leurs sommets se rejoignent. Passez un chiffon propre sur toute la surface en appuyant bien de manière à supprimer les bulles d'air. Laissez sécher.

SET DE TABLE DENTELLE

Un ruban et un peu de dentelle donnent à ce set de table une touche très féminine. Pour la base, il vous faut un mouchoir uni ou un carré de coton de 30 cm de côté. Prévoyez une longueur de dentelle de 130 cm environ. Assemblez la dentelle autour du tissu par une couture à petits points en fronçant les coins au fur et à mesure.

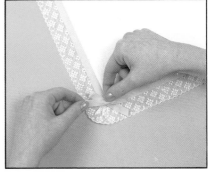

Coupez 4 longueurs de ruban de 1 cm de large et collez-les sur les coutures avec du ruban adhésif double face. Pour réaliser les coins, reportez-vous aux instructions de la page 66.

Nouez 20 cm de ruban en une jolie boucle. Coupez les extrémités en biais ou en V. Fixez-la sur un coin du set avec du ruban adhésif double face ou par quelques points invisibles (voir explications de la papillote page 117).

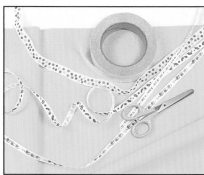

Egayez une nappe en papier ou en toile cirée pour un repas d'enfants. Choisissez de préférence une nappe unie de couleur vive. Il vous faut 1,30 m de ruban imprimé adhésif pour marquer la place de chaque invité.

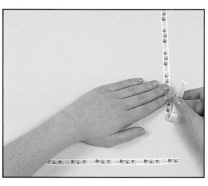

Sur la nappe, tracez au crayon à papier un carré de 30 cm de côté pour chaque place. Pour plus de précision, aidez-vous d'une règle et d'une équerre. Coupez le ruban en 4 longueurs égales. Otez la bande protectrice de l'adhésif et collez le ruban sur la nappe en veillant à recouvrir parfaitement les traits de crayon. Les extrémités des morceaux de ruban doivent se chevaucher.

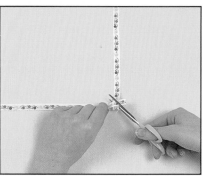

Aux coins, à l'endroit où les rubans se chevauchent, décollez-les délicatement. Coupez-les en biais de manière à former un coin net (voir photo). Pour terminer, lissez soigneusement les rubans sur toute leur longueur en insistant sur les coins afin qu'ils adhèrent parfaitement à la nappe.

Voici le set idéal pour un repas de Noël. Dessinez un sapin sur l'envers d'un morceau de carton vert brillant. Prévoyez 10 cm de plus sur la longueur et 20 cm de plus sur la largeur que le diamètre de l'assiette. Découpez la forme au cutter en vous aidant d'une règle.

Pour la décoration du sapin, fixez des petites boules rouges aux extrémités des branches par un point de colle. Vous pouvez les confectionner en roulant des boulettes de papier de soie ou de papier crépon.

Découpez une étoile dans un morceau de papier brillant et collez-la au sommet de l'arbre. Pour terminer, collez des petites étoiles argentées sur toute la surface du set. Vous pouvez aussi vous contenter d'en saupoudrer le set juste avant de mettre la table.

SET DE TABLE MOUCHETÉ

Voici la solution rêvée pour que vos sets de table soient à vos couleurs. Vous aurez en outre le plaisir de les avoir entièrement réalisés vous-même. Il vous faut des sets ronds en liège ainsi que 2 teintes de gouache, une brosse et une éponge naturelle.

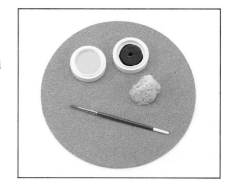

Pour le fond, choisissez plutôt une couleur claire. Peignez entièrement le set en liège. Laissez sécher. Si la couleur choisie est très claire, il vous faudra sans doute appliquer une deuxième couche avant de procéder à la suite.

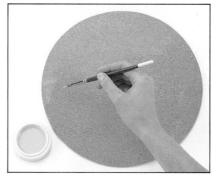

Préparez la deuxième gouache dans un récipient. Trempez l'éponge et enlevez l'excédent de peinture sur du papier journal. Tamponnez le set en veillant à ne pas recouvrir entièrement la couche de base. Laissez sécher. Vaporisez une couche de vernis transparent pour pouvoir nettoyer ultérieurement vos sets sans les abîmer.

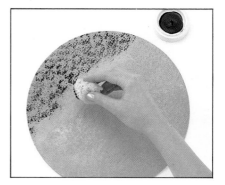

Pratique et très chic, ce petit set de table porte-couverts vous suivra dans tous vos repas en plein air. Pour chaque ensemble, il vous faut un set de table en coton matelassé, une serviette assortie et 3 rubans coordonnés de 55 cm de long environ.

Posez le set à plat et recouvrez-le avec la serviette. Placez dessus les couverts (dans le sens de la largeur) et roulez le tout comme il est indiqué sur la photo.

Coupez les extrémités des rubans en pointe. Placez le rouleau de tissu sur les rubans et nouez-les sur le dessus. Terminez par une jolie boucle. Au moment du repas, il vous suffira de dénouer les rubans et vous disposerez aussitôt de tout le matériel nécessaire.

LES SERVIETTES

Les serviettes constituent un élément essentiel pour la beauté de la table, au même titre que les verres ou les assiettes. Que vous utilisiez des serviettes damassées pour un repas de cérémonie ou des serviettes en papier pour un buffet campagnard, soignez leur présentation. Dans ce chapitre, vous trouverez de nombreuses idées pour donner à vos serviettes une touche personnelle. Vous apprendrez également à réaliser d'ingénieux pliages dignes des plus grands restaurants. Rassurez-vous, c'est plus facile qu'il n'y paraît. La seule condition indispensable est de travailler sur une serviette parfaitement repassée, voire amidonnée.

Cette table évoque la douceur de vivre
des week-ends à la campagne. Les roses
du service, base de la composition, ont
été reprises sur le porte-serviette
constitué d'un simple napperon en
papier orné d'un motif fleuri. La nappe
est en coton, mais un modèle en papier
imprimé donnerait d'excellents
résultats.

Voici une manière rapide et facile d'habiller une serviette ordinaire pour un repas plus raffiné. Procurez-vous un napperon en papier, de préférence d'une teinte contrastant avec celle de la serviette. Pliez la serviette en 2, en forme de triangle.

Pliez le napperon en 2 de la même manière. Afin de pouvoir glisser l'épaisseur de la serviette sans que le « porte-serviette » ne s'ouvre, pratiquez une sorte de soufflet : dépliez le napperon et repliez-le dans le même sens en effectuant la deuxième pliure à 1 cm de la première.

Découpez une image de fleurs (sur une vieille carte de vœux ou dans un catalogue de jardinage, par exemple). Collez-la au centre du plus petit triangle du napperon. Glissez la serviette dans ce porte-serviette romantique.

En suivant scrupuleusement nos instructions, vous n'aurez aucune difficulté à effectuer ce pliage exotique. Le pliage des serviettes fait appel à la technique de l'origami bien connue. Etalez une serviette bien repassée à plat. Repliez les 4 coins vers le centre.

Refaites cette opération une deuxième fois, afin d'obtenir un carré plus petit. Marquez soigneusement les plis au fer chaud. Retournez la serviette sur l'autre face et repliez encore une fois de la même manière. Maintenez l'ensemble en appuyant le doigt au centre du carré.

En maintenant toujours l'ensemble, ramenez un coin du dessous de la serviette vers le haut jusqu'à ce qu'il apparaisse derrière l'un des coins du carré. Recommencez l'opération pour les 3 autres coins : les pétales sont formés. Pour les sépales, ramenez les 4 pans simples du dessous entre les pétales.

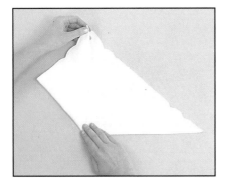

Ce ravissant pliage est d'une étonnante facilité. Pliez la serviette en 2 suivant la diagonale. Ramenez la pointe des pans gauche et droit sur le sommet du triangle ainsi formé.

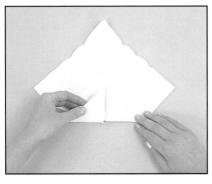

Retournez la serviette ainsi pliée sur l'autre face. Repliez légèrement le coin inférieur vers le haut (voir photo).

Repliez les coins gauche et droit sur l'envers en formant des plis légèrement inclinés. Marquez soigneusement les plis au fer chaud. Disposez la serviette sur une assiette de couleur différente.

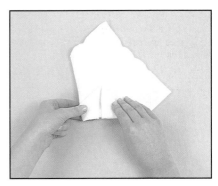

Pour ce modèle, il vous faut une
serviette bien repassée et fraîchement
amidonnée. Etalez la serviette à plat.
Repliez les bords vers le centre (voir
photo). Repliez la moitié située vers
vous sur l'autre pour former un
rectangle étroit.

Repliez l'extrémité droite du rectangle
vers le milieu, puis sur elle-même vers
l'extérieur (voir photo). Travaillez de
même sur le côté gauche de manière à
ce que les plis se rejoignent au centre
du rectangle.

Saisissez le coin supérieur droit du pan
du dessus. Ramenez-le sur le coin
supérieur gauche (voir photo) de
manière à former un triangle dont la
base se trouve vers vous. Maintenez
d'une main le côté droit de ce triangle.
De l'autre, replacez le coin dans sa
position initiale afin de former une des
« ailes » de la composition.
Recommencez l'opération sur le côté
gauche.

Pour réaliser ce jabot, pliez la serviette 2 fois en 2. Placez-la de manière à ce que les coins libres soient situés en haut, à droite du carré. Repliez le premier pan du coin supérieur droit sur le coin inférieur gauche avant de le ramener sur lui-même (voir photo). En continuant à plier et replier ce coin sur lui-même, vous formerez une sorte d'accordéon sur la diagonale de la serviette.

Recommencez l'opération avec le deuxième pan libre de tissu du coin supérieur droit. Vous devez obtenir 2 lignes parallèles de zigzags.

Prenez le coin supérieur droit dans une main, et le coin inférieur gauche dans l'autre. Pliez la serviette en 2 suivant la diagonale pour former un triangle, en veillant à ce que les plis restent à l'extérieur. Ramenez les coins gauche et droit du triangle sur l'arrière et glissez l'un entre les plis de l'autre pour les fixer. Placez la serviette sur l'assiette et ouvrez légèrement l'accordéon.

<P>our obtenir un résultat impeccable, il vous faut une serviette bien repassée et fraîchement amidonnée. Pliez la serviette en 3 dans le sens de la longueur de façon à former un rectangle étroit. Placez-la à plat face à vous, le côté libre vers le haut. Repliez les pans gauche et droit de manière à ce qu'ils se rejoignent au centre.

Repliez les coins supérieurs gauche et droit de manière à ce qu'ils se rejoignent au centre. En la tenant à 2 mains, retournez la serviette en dirigeant la pointe vers vous, la face sans plis étant dirigée vers le haut.

Ramenez les côtés l'un vers l'autre pour former un cône. Glissez le coin gauche dans les plis du coin droit pour fixer la forme. Retournez la serviette et placez-la sur une assiette en ouvrant légèrement les plis (voir photo du haut).

Pliez la serviette en 2 pour marquer le pli central. Dépliez la serviette. Pliez une moitié de la serviette en 3 dans le sens de la longueur, en veillant à ramener le bord libre sur le dessus (voir photo). Recommencez l'opération sur l'autre moitié de la serviette.

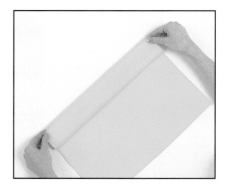

Rabattez la bande la plus proche de vous sous l'autre, en suivant la ligne centrale. Posez votre doigt au centre de la bande obtenue, les 3 plis dirigés vers vous. Repliez le pan droit vers le milieu avant de le replier sur lui-même. Recommencez l'opération pour le pan gauche.

Ramenez le coin supérieur gauche vers le coin supérieur droit pour former un triangle. Lissez délicatement les plis pour les maintenir en place. Continuez de la même manière avec les autres pans du côté gauche, puis avec ceux du côté droit. Ouvrez délicatement les plis et placez la serviette sur une assiette, la base des plis tournée vers l'invité.

I l est possible de présenter ce pliage en forme de mitre d'évêque sur une assiette ou dans un verre, les pans latéraux retombant gracieusement pardessus les bords. Pliez la serviette en 2 suivant la diagonale pour former un triangle. Ramenez chaque coin au sommet du triangle pour former un carré.

Faites pivoter la serviette de manière à ce que les bords libres soient dirigés vers vous. Ramenez les 2 pans supérieurs vers l'arrière. Repliez les 2 derniers pans de la même manière pour former un triangle.

Faites pivoter à nouveau la serviette pour que le triangle soit orienté vers le haut et ramenez les pointes gauche et droite l'une sur l'autre. Coincez l'une des pointes entre les plis de l'autre. Tenez la « mitre » face à vous et dégagez les pans libres. Placez-la sur une assiette ou dans un verre en disposant les pans libres de manière à ce qu'ils retombent sur les bords du récipient.

Avec ce modèle très facile à réaliser, vous êtes sûre de produire de l'effet. Prenez une serviette bien repassée et fraîchement amidonnée. Pliez-la en 2 dans le sens de la longueur. Puis plissez la moitié de la serviette en accordéon, en commençant par un petit côté.

Tout en maintenant les plis entre vos doigts, pliez la serviette en 2 de manière à rabattre les extrémités de l'accordéon l'une contre l'autre. Maintenez les plis en place d'une main et, de l'autre, repliez le pan libre de la serviette suivant la diagonale.

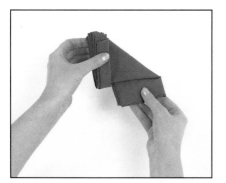

Rabattez le petit rectangle ainsi formé (voir photo) afin qu'il constitue le support du pliage. Libérez les plis et disposez la serviette sur une assiette en arrangeant l'éventail pour qu'il prenne une forme régulière.

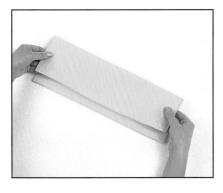

Ce modèle convient mieux aux verres hauts, mais il est possible de l'adapter pour des récipients plus larges. Il nécessite davantage de pratique que les autres pliages, mais le résultat en vaut la peine. Etalez la serviette à plat et pliez-la en 3 dans le sens de la longueur. Placez-la de manière à ce que le bord libre apparaisse sur le dessus (voir photo).

En tenant la serviette à 2 mains, entre le pouce et l'index, roulez les coins supérieurs vers vous, en diagonale.

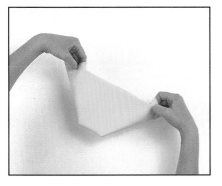

Sans lâcher la serviette, continuez à rouler les coins vers l'intérieur d'un seul mouvement en faisant pivoter vos poignets jusqu'à ce que vos mains se touchent. Vous obtenez 2 « flûtes ». Dégagez les doigts et glissez la serviette dans un verre. Si nécessaire, rectifiez la forme.

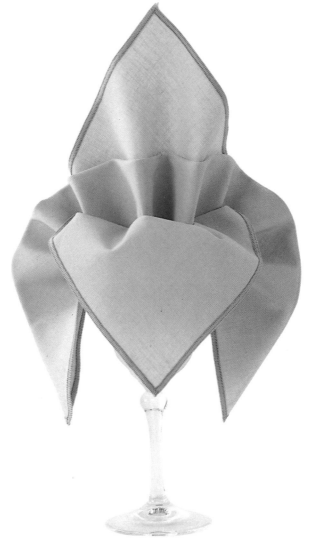

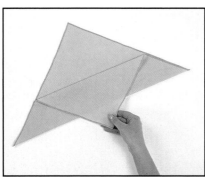

Cet élégant pliage se réalise en un clin d'œil. Etalez la serviette à plat. Pliez-la en 2 suivant la diagonale de manière à former un triangle. Placez le pli vers vous. Ramenez le pan supérieur vers vous en le faisant légèrement dépasser (voir photo). Retournez la serviette et pliez l'autre côté de la même manière.

En travaillant de la gauche vers la droite, plissez la serviette entière en accordéon. Maintenez fermement le bord droit de l'accordéon et disposez la serviette dans un verre. Rabattez le pan de devant sur le verre pour dégager l'accordéon central.

CHAUSSON DE CENDRILLON

Ce ravissant pliage donnera un air romantique à un thé entre amies. Pliez la serviette en 4, de gauche à droite puis de bas en haut, pour former un carré. Pliez ce carré en 2 suivant la diagonale pour former un triangle.

En maintenant fermement le haut de la serviette, repliez chaque côté du triangle vers vous en suivant la ligne du milieu (voir photo). Les 2 bords doivent se toucher au centre.

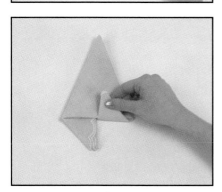

Retournez la serviette sur l'autre face et rabattez les pans qui dépassent vers le haut. Pliez le triangle en 2 en ramenant le coin gauche sur le coin droit. En maintenant fermement ces coins entre les doigts, retournez la serviette. Dégagez légèrement les 4 pointes libres vers le haut pour obtenir la forme du « soulier » (voir photo ci-dessous).

Un verre à vin met en valeur l'élégance de ce pliage très simple. Etalez la serviette bien à plat. Pliez-la en 2 suivant la diagonale pour former un triangle, pointe en haut. Posez votre index au centre du bord inférieur. Saisissez le pan supérieur de la serviette et ramenez le sommet du triangle sur le coin inférieur gauche.

Travaillez ensuite sur le deuxième pan de la serviette, dont vous ramènerez le coin supérieur droit sur le coin inférieur gauche.

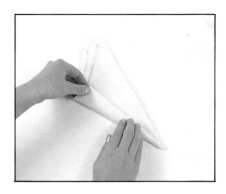

Travaillez le dernier pan de la même manière. Vous obtiendrez un triangle. Décalez légèrement les plis. Retournez la serviette de façon à placer les plis sur l'envers. En partant du bord situé vers vous, roulez la serviette (voir photo) jusqu'à la moitié. Repliez la pointe de ce cône et glissez la serviette dans un verre.

CHANDELLE

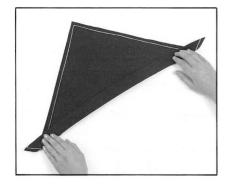

Ce modèle convient plus particulièrement à une serviette à bord contrasté. Etalez la serviette bien à plat. Pliez-la en 2 suivant la diagonale pour former un triangle. Rabattez la base sur 3 cm environ. Retournez la serviette pour placer le pli sur l'envers.

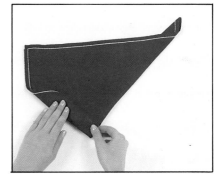

En commençant par le coin gauche, roulez la serviette pour former un cylindre étroit.

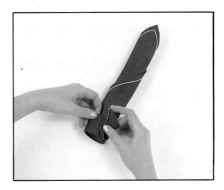

Arrivés au bout, rabattez la pointe dans le pli pour maintenir le tout en place. Enfin, repliez la pointe supérieure vers le bas pour dégager l'autre pointe qui constitue la « flamme » de la chandelle. (voir photo ci-contre).

Ce modèle est idéal pour un buffet. Pliez la serviette en 4 pour former un petit carré. Repliez le pan supérieur du carré 3 fois sur lui-même, le pli final correspondant à la diagonale du carré. De la même manière, mais en faisant des plis plus étroits, repliez le deuxième pan du carré et maintenez-le en le glissant sous le premier pli.

Rabattez les côtés gauche et droit sur l'envers pour obtenir un rectangle. Glissez alors les couverts entre les plis. Vous pouvez également placer cette serviette telle quelle sur une assiette lors d'un repas à table.

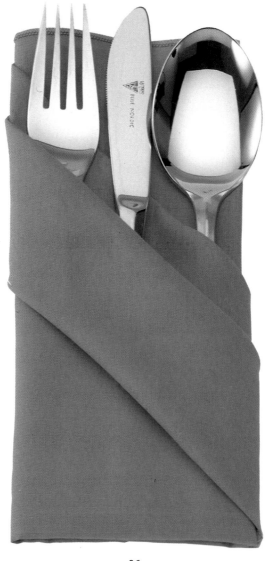

Ce pliage simple forme une pochette que l'on agrémentera de quelques fleurs artificielles. Pliez la serviette en 2 et encore en 2 pour former un petit carré. Pliez-le suivant la diagonale pour former un triangle.

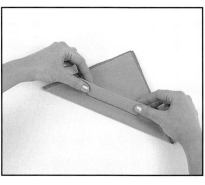

Placez la serviette de manière à ce que les coins libres soient dirigés vers le haut (voir photo). Repliez uniquement le pan supérieur plusieurs fois sur lui-même pour former une manchette à la base.

Repliez le pan suivant de manière à ce que la pointe touche la manchette. Repliez les 2 pans suivants en les décalant légèrement. Enfin, rabattez les coins gauche et droit du triangle sur l'envers et fixez-les au dos du pliage. Disposez la serviette sur une assiette et glissez quelques fleurs dans la pochette ainsi formée.

Pour réaliser ce décor champêtre, il vous faut un set de table en paille ou en sisal tressé, une serviette blanche, un assortiment de fleurs et d'herbes séchées et 3 rubans beiges de 50 cm de long.

Nouez ensemble les 3 longueurs de ruban à l'une de leurs extrémités. Tressez-les. Cette tresse vous servira à nouer la serviette et le bouquet de fleurs séchées.

Rassemblez les fleurs séchées en bouquet. Liez-les avec un morceau de fil ou un élastique. Pliez la serviette en 2 et encore en 2 de manière à obtenir un long rectangle étroit. Enroulez 2 fois la tresse de ruban autour de la serviette et du bouquet et nouez les extrémités au dos de la composition. Placez l'ensemble sur le set de table ou sur une assiette.

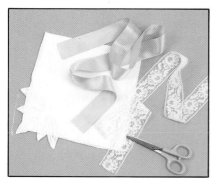

Voici un modèle raffiné, parfait pour un repas de mariage ou de noces d'or. Le charme de cet anneau de serviette réside essentiellement dans la qualité et la beauté du ruban choisi. Procurez-vous de belles serviettes blanches ornées d'un coin de dentelle. Pour chaque serviette, il vous faut 90 cm de ruban de satin pastel en grande largeur et 90 cm de ruban de dentelle.

Pour obtenir un résultat impeccable, repassez et amidonnez soigneusement les serviettes avant de commencer. Pliez-les en 4. Coupez les extrémités du ruban et de la dentelle en V ou en biais, l'ensemble présentera une meilleure finition.

Repliez les côtés de la serviette sur l'envers pour obtenir une forme plus allongée (voir photo) qui mettra davantage en valeur la dentelle. Repassez les plis au fer pour qu'ils restent bien en place. Posez le ruban de dentelle sur le ruban de satin. Nouez les 2 rubans autour de la serviette et terminez par une jolie boucle sur le dessus.

Cette présentation originale ravira petits et grands. Peignez une perle en bois de 25 mm de diamètre aux couleurs de votre linge de table. Laissez sécher. Avec une couleur qui tranchera sur le fond, dessinez quelques motifs géométriques. Laissez sécher avant de continuer.

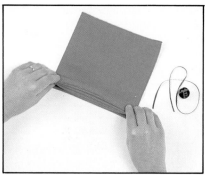

Pliez la serviette en 2. En commençant sur un petit côté du rectangle ainsi formé, plissez la serviette en accordéon sur toute la longueur. Veillez à effectuer des plis très réguliers.

Passez un morceau de ruban assorti très fin dans la perle et faites un nœud pour maintenir celle-ci en place. Enroulez le ruban au milieu de la serviette pliée en accordéon. Terminez par une boucle nouée juste en dessous de la perle. Ouvrez les plis de la serviette de manière à former une sorte d'éventail circulaire.

ANNEAU DE SERVIETTE DE LUXE

Ce rond de serviette donnera un air de cérémonie à tous vos repas. Il vous faut 2 glands et environ 40 cm de cordelette assortie par serviette ainsi qu'une colle forte pour tissu. Pour fixer les glands, enroulez la boucle du gland autour de la cordelette et passez le pompon dans la boucle.

Glissez la cordelette dans les boucles des glands encore 2 fois pour former un anneau. Assurez-vous que les cercles sont suffisamment larges pour laisser passer la serviette.

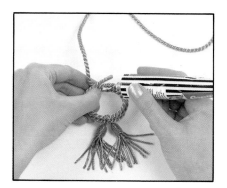

Collez une extrémité au dos de l'anneau, en utilisant de la colle forte. Coupez les fils qui dépassent. Appliquez ensuite une couche de colle sur l'intérieur de l'anneau. Collez la deuxième extrémité en l'enroulant autour des 3 anneaux de cordelette. Maintenez l'ensemble par une pince à linge et laissez sécher. Glissez la serviette dans l'anneau.

Ce ravissant rond de serviette, très simple à réaliser, apportera une note printanière à votre table. Confectionnez un anneau avec un morceau de fil de fer souple (parfois appelé fil de fleuriste). Tordez les extrémités entre elles pour les fixer.

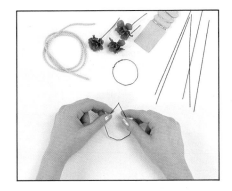

Assemblez 2 ou 3 fleurs en papier ou en tissu assorti à votre linge de table ou à votre vaisselle. Liez-les avec un morceau de fil de laiton. Tordez les extrémités du fil de laiton autour du fil de fer de l'anneau pour assembler le bouquet à celui-ci.

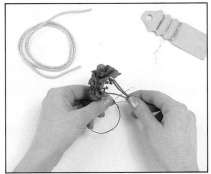

Recouvrez entièrement l'anneau de ruban ou de galon de couleur : en commençant sous le bouquet, enroulez le ruban autour du fil de fer. Coupez à la longueur voulue. Fixez les extrémités du ruban par un point de colle. Laissez sécher. Glissez la serviette dans l'anneau et ajoutez une fleur fraîche pour compléter le tout.

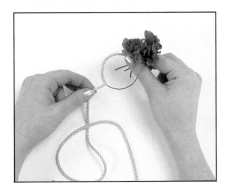

Pour apporter une touche de frivolité à un repas entre amis, il suffit de nouer les serviettes avec du tulle coloré. Pour chaque serviette, il vous faut 3 rectangles de tulle de couleurs différentes, de 45 cm sur 35 cm de côté. Pliez chaque morceau de tulle en 3 dans le sens de la longueur.

Pliez la serviette en 2 et encore en 2 pour former un petit carré. Pliez-la suivant la diagonale pour former un triangle, que vous roulerez dans le sens de la longueur.

Superposez les 3 rectangles de tulle et nouez-les ensemble autour de la serviette. Faites bouffer les extrémités en les décalant légèrement pour qu'elles soient bien visibles.

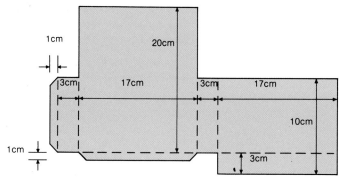

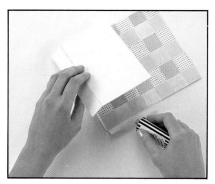

Pour réaliser ce porte-serviette insolite, reportez le schéma ci-dessus sur une feuille de papier cartonné en respectant soigneusement les mesures indiquées. Découpez la forme au cutter et marquez les plis (lignes en pointillés). Découpez un rectangle de papier adhésif lavable de 21 cm sur 19 cm. Collez-le sur l'intérieur de la plus grande face de la boîte. Rabattez les pattes.

Appliquez une couche de colle sur le fond et sur les côtés. Collez les pattes pour former la boîte. Découpez un deuxième rectangle de papier adhésif de 26 cm sur 12,5 cm et collez-le sur le devant et sur les côtés. Veillez à couper les coins en biais afin qu'ils se chevauchent nettement. Recouvrez le dos de la boîte d'une feuille de papier adhésif de 17 cm sur 20 cm en veillant à dissimuler les pattes.

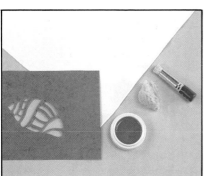

Si vous ne trouvez pas de serviettes assorties à votre service, décorez-les vous-même au pochoir : Il vous faut des serviettes unies, un pochoir (vous en trouverez dans les magasins spécialisés, mais vous pouvez aussi recopier une forme sur un morceau de carton fort et l'évider avec un cutter), une éponge naturelle et de la peinture pour tissu.

Placez le pochoir sur la serviette. Préparez la peinture dans une petite coupelle. Trempez l'éponge dans la coupelle. Tamponnez-la sur une feuille de papier brouillon pour ôter l'excédent de peinture. Il existe des brosses spéciales pour pochoir, mais le résultat est légèrement différent. Effectuez plusieurs essais afin de décider quelle technique convient le mieux au motif choisi.

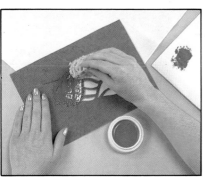

Maintenez fermement le pochoir ou fixez-le avec du ruban adhésif double face. Tamponnez légèrement l'éponge, en veillant à ce que la peinture ne coule pas sous les bords du pochoir. Laissez sécher. Fixez la peinture en suivant scrupuleusement les instructions du fabricant. Pour le motif, préférez une forme simple, surtout si vous fabriquez le pochoir vous-même.

L a tradition veut que l'on utilise les marque-places uniquement
dans les grands banquets. De nos jours, ces occasions se font de
plus en plus rares par manque de temps ou par manque d'espace.
Ce n'est pas une raison pour abandonner l'usage de ces petits cartons
qu'on a plaisir à conserver en souvenir d'un bon moment. Ne les
considérez plus comme des accessoires conventionnels et
cérémonieux. Certains suffisent à apporter une note d'humour et
d'originalité à votre table. Ils apporteront la touche finale au décor
que vous vous êtes donné la peine de composer et qui ira droit au
cœur de vos invités.

Le décor présenté ici est une variation
sur le thème de l'arlequin. Il est tout
à fait indiqué pour une soirée déguisée.
Si vous ne possédez pas de vaisselle
à motifs quadrillés, le résultat est tout
aussi spectaculaire avec un service noir
moucheté de blanc ou l'inverse.
N'oubliez pas d'ajouter quelques
touches de couleur pour rehausser
l'ensemble.

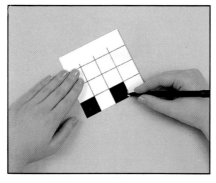

De simples cartons placés dans les verres à cocktail apporteront une touche de raffinement à votre table. Découpez des carrés de carton de 7,5 cm de côté. Avec un crayon à papier et une règle, tracez une grille de carrés de 2,5 cm de côté. Coloriez un carré sur 2 au feutre noir pour obtenir un motif à damier.

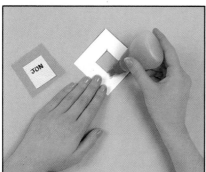

Sur un morceau de carton blanc de 5 cm de côté, inscrivez le nom du convive. Avec un cutter, évidez un carré de 2,5 cm de côté au centre du carton à damier. Retournez le carton et enduisez les bords du trou de colle. Coupez un petit morceau de tulle de 6 cm de côté.

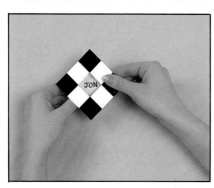

Placez le tulle sur le carton portant le nom de l'invité. Posez le carton à damier par-dessus, en losange. Appuyez fermement pour coller les 3 épaisseurs (la colle traverse le tulle et fixe le dernier carton). Laissez sécher.

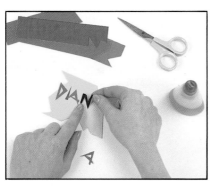

P our réaliser ce marque-place inédit, il suffit de se procurer quelques morceaux de papier coloré et du filet. Découpez un rectangle de carton égal à 2 fois la taille du marque-place. Pliez-le en 2. Avec un cutter, découpez les bords de manière irrégulière. Une forme différente pour chaque carton renforcera l'originalité de l'ensemble.

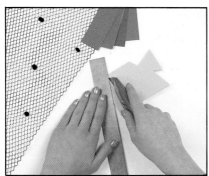

Découpez des lettres dans des feuilles de papier de couleurs différentes. Collez-les sur le carton pour former le nom du convive. Pour plus de facilité, prévoyez des formes droites. Pour réaliser un A, par exemple, découpez d'abord un V que vous placerez à l'envers, puis une petite barre. Les formes arrondies sont plus délicates à réussir.

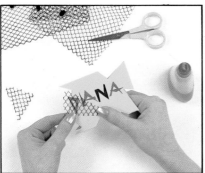

Coupez des morceaux irréguliers de filet. Là encore, laissez travailler votre imagination. Fixez-les sur le carton par un point de colle. Laissez sécher. Disposez les cartons à chaque place sur une serviette pliée (voir photo ci-dessus).

Ce curieux marque-place est
évidemment parfait pour le repas
de Pâques. Percez un œuf des 2 côtés
avec une aiguille à coudre que vous
enfoncerez suffisamment pour percer le
jaune. Au-dessus d'une tasse, soufflez
dans un des trous pour faire sortir le
blanc et le jaune de l'autre côté. Rincez
la coquille. Dessinez les motifs
souhaités au crayon.

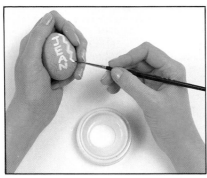

A la gouache blanche, recouvrez les
zones que vous avez l'intention de
peindre de couleur claire. Cela vous
permettra d'obtenir ensuite des
couleurs parfaites.

Peignez les zones claires d'abord
(par-dessus la couche blanche). Peignez
le fond en noir en rectifiant, si
nécessaire, le tracé des zones claires.
Laissez sécher avant de placer l'œuf
dans un coquetier sur la table.

Ce marque-place conviendra davantage à une table moderne. Si votre linge est clair, utilisez du carton de couleur ; s'il est foncé, préférez du carton blanc. Sur une feuille de papier calque, tracez 2 lignes parallèles à 8 cm l'une de l'autre. Elles vous serviront de guide. En vous aidant d'une règle, écrivez le nom du convive en veillant à bien relier les lettres entre elles.

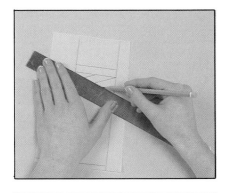

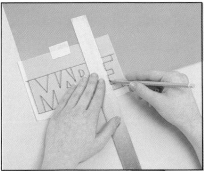

Placez le calque portant le nom sur une feuille de carton et fixez-le avec du ruban-cache adhésif. Repassez sur les lettres avec un crayon à bille ou une pointe dure de manière à ce qu'elles s'impriment sur le carton du dessous. Ne repassez pas sur les points de jonction entre les lettres : vous n'aurez pas à les découper.

Ôtez le papier calque en décollant délicatement le ruban-cache. A l'aide d'une règle, découpez soigneusement les lettres au cutter.
Suivez scrupuleusement les traits afin d'éviter de séparer les lettres du nom. Placez ce carton tel quel sur la serviette.

COLLAGE

Pour réaliser ce collage, il suffit d'un peu de papier cadeau dont le motif soit adapté au thème de votre réception. Sur cette page, nous avons choisi celui d'un anniversaire d'enfant. Découpez un rectangle de 14 cm sur 9 cm dans du carton de couleur. Pliez-le en 2 dans le sens de la longueur.

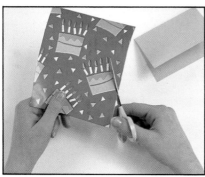

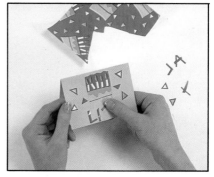

Découpez soigneusement le motif choisi. Collez-le sur le carton avec du ruban adhésif double face ou de la colle universelle.

Ajoutez quelques petits triangles colorés sur le carton. Collez un morceau de ruban adhésif double face sur du papier-cadeau. Découpez de petites bandelettes qui serviront à former le nom du convive. Ôtez les morceaux de papier en trop. Collez les lettres sur le carton. Placez le carton sur l'assiette ou devant le verre de l'invité.

ÉVENTAILS

De minuscules éventails en papier de riz donneront à ces cartons aux teintes pastel une note raffinée. Pour chaque marque-place, découpez un rectangle de 9 cm sur 12 cm dans une feuille de carton de couleur claire. Dans du carton plus foncé, découpez un rectangle de 5 mm de moins. Découpez des bandelettes dans une feuille de papier de riz et pliez-les en accordéon (voir photo).

Comptez 10 à 12 plis par éventail. Coupez les bandelettes plissées en morceaux. Pincez-les à l'extrémité pour leur donner leur forme finale. Pliez les 2 rectangles de carton en 2. Placez le plus foncé au-dessus. Assemblez-les par quelques points de colle. Découpez un deuxième rectangle dans le papier cartonné clair. Collez-le, après avoir inscrit le nom de l'invité, comme l'indique la photo.

Appliquez plusieurs points de colle çà et là sur le tour du carton foncé. Disposez les éventails. Laissez sécher avant de dresser le marque-place sur l'assiette.

CERF-VOLANT

Ce charmant modèle ravira les enfants. Pour chaque cerf-volant, il vous faut du carton de 2 couleurs différentes. Dans chaque couleur, découpez 2 rectangles de 10 cm sur 15 cm. Tracez une ligne au centre de chaque rectangle et une deuxième, perpendiculaire à la première, à 5 cm du bord. Joignez les extrémités de ces 2 lignes entre elles par d'autres lignes (voir photo). Découpez.

Collez les 2 morceaux restants du carton rouge sur le losange jaune (voir photo). De la même manière, vous utiliserez les 2 morceaux restants du carton jaune sur le losange rouge pour réaliser un deuxième cerf-volant. Ecrivez le nom de l'enfant sur le devant du cerf-volant.

Coupez 3 petits carrés de tissus de couleur avec des ciseaux à cranter. Au dos du cerf-volant, collez une bandelette de ruban fin de 40 cm de long. Pincez chaque morceau de tissu au centre et nouez-les un par un sur le ruban. Collez une petite languette de carton pliée en 2 au dos de chaque cerf-volant. Ce « crochet » vous permettra de fixer le marque-place sur le bord d'un verre.

Idéal pour un goûter d'enfants gourmands, ce petit bonhomme se glissera aisément entre les plis d'une serviette en papier. Copiez la forme d'un petit bonhomme de pain d'épices sur une feuille de papier cartonné de couleur, avant de lui nouer un morceau de ruban de satin autour du cou. Terminez par une jolie boucle en laissant dépasser environ 15 cm de ruban.

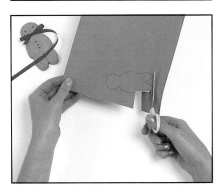

Pour que le résultat soit plus net, coupez les extrémités du ruban en pointe ou en V. Découpez alors le bonhomme en carton, en respectant soigneusement la forme tracée.

Ecrivez le nom de l'enfant sur le carton. Au dos, appliquez une bande de colle pour fixer le ruban. Pliez la serviette en 4. Repliez le pan supérieur vers le bas pour former une sorte de pochette. Glissez le petit bonhomme en pain d'épices en laissant pendre l'étiquette sur le devant.

Un dîner entre amoureux ? C'est l'occasion ou jamais de réaliser cet adorable marque-place. A l'aide du gabarit ci-dessous, tracez des cœurs sur des feuilles de carton rouge brillant et blanc. Découpez soigneusement en suivant les traits.

Ecrivez le nom de la personne qui partagera ce merveilleux repas avec vous sur le coeur blanc. Percez un trou au sommet de chaque cœur. Passez un fin ruban rouge dans les 2 trous pour rassembler les cœurs. Pour compléter le tout, nouez les couverts avec un ruban de plus grande largeur. Attachez le carton et disposez l'ensemble en vous inspirant de la photo ci-dessus.

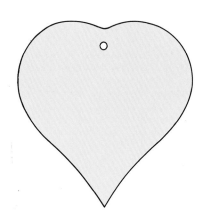

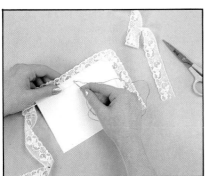

Pour les repas de mariage ou de communion, la dentelle est de rigueur ! Pliez un rectangle de carton blanc en 2. Coupez une longueur de dentelle suffisante pour faire le tour de la moitié du carton et prévoyez quelques centimètres en plus pour les coins. Avec du fil invisible, cousez la dentelle sur le bord du carton en fronçant les coins au fur et à mesure.

Appliquez une couche de colle sur l'envers du carton et collez les 2 moitiés l'une contre l'autre. Laissez sécher.

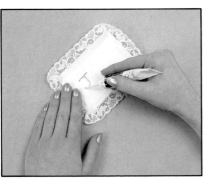

Ecrivez le nom de l'invité sur la carte avec de la peinture argentée ou pailletée. Placez le carton sur l'assiette avec une ou deux fleurs qui formeront une ravissante boutonnière.

Ce ravissant marque-place est du plus bel effet sur une assiette à motifs fleuris. Découpez des images de fleurs sur une carte de voeux, dans un catalogue de jardinage ou dans un magazine.

Découpez un morceau de carton blanc de 10 cm sur 8 cm. Disposez harmonieusement les fleurs (voir photo) en laissant une bande vierge en bas du carton. Lorsque l'ensemble vous satisfait, collez les formes sur le carton. Laissez sécher.

Découpez une bande de papier cartonné pastel et inscrivez-y le nom de l'invité. Collez-la en dessous des fleurs. Découpez le carton blanc en suivant le tour des fleurs. Repliez la bande de carton blanc restant en dessous de l'étiquette vers l'arrière pour former le support du marque-place. Disposez le carton sur une assiette et ajoutez un petit bouquet noué par un ruban assorti.

V oici une idée simple pour donner à votre repas un petit air écossais. Procurez-vous du ruban écossais et des feuilles de papier cartonné blanc ou de couleur assortie à l'écossais. Pour compléter l'ensemble, prévoyez une grosse épingle à kilt.

Découpez un rectangle de carton de 10 cm sur 12 cm. Pliez-le en 2. Ecrivez le nom de l'invité sur le côté gauche du carton. Découpez un morceau de ruban qui servira à border la carte sur toute la largeur. Prévoyez une longueur suffisante pour rabattre le ruban sur l'intérieur et obtenir des bords bien finis.

Collez le ruban sur le carton avec de la colle pour tissu. Laissez sécher. Piquez l'épingle à kilt dans le carton à travers le ruban écossais (voir photo). Pour compléter l'ensemble, nouez la serviette avec une longueur de ruban écossais et recouvrez la table d'une nappe coordonnée.

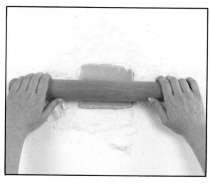

Ce marque-place a été conçu pour un décor de Noël, mais vous pouvez adapter la forme à n'importe quelle autre occasion de l'année. Faites une pâte en mélangeant 3 parts de farine pour une part de sel, une cuillère de glycérine et un peu d'eau froide. Pétrissez pendant une dizaine de minutes. Abaissez la pâte au rouleau sur une surface plane.

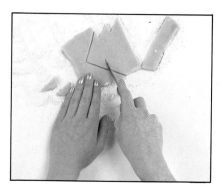

Avec un couteau bien aiguisé ou une roulette à pâtisserie, découpez soigneusement la forme du sapin. N'oubliez pas de percer un petit trou pour passer le ruban. Faites cuire ce biscuit au four en procédant comme pour un biscuit classique.

Coloriez la forme avec un mélange de gouache et d'eau. Pour écrire le nom du convive, facilitez-vous la tâche en utilisant de la peinture en tube muni d'un bec. Passez une couche de vernis transparent. Nouez un ruban rouge. De toute évidence, ces biscuits ne sont pas comestibles, mais ils dureront des années. Vous pouvez également les utiliser pour décorer l'arbre de Noël.

Toujours appréciés dans les fêtes d'enfants, les chapeaux peuvent être utilisés comme marque-place. Découpez les chapeaux dans un papier cartonné : un petit rond et un rectangle pour le haut-de-forme, un demi-cercle de 15 cm de diamètre pour le chapeau conique. Collez les bords pour former un tube et un cône. Fixez le disque supérieur du haut de forme avec des petits morceaux de ruban adhésif.

Recouvrez les chapeaux de papier crépon. Fabriquez des pompons (voir page 119) et fixez-les aux chapeaux avec de la colle ou du ruban adhésif double face. Pour la frange du chapeau conique : prévoyez 2 bandes de papier crépon de longueur égale à la cironférence du chapeau. Coupez les bandes sur 2 cm de chaque côté (voir photo). Fixez les franges au chapeau avec du ruban adhésif double face.

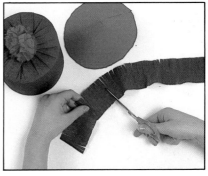

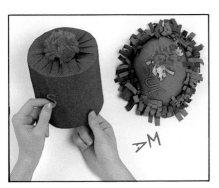

Dans du papier crépon de couleur vive, découpez des lettres pour former les noms des convives. Collez-les sur les chapeaux. Ainsi, chacun retrouvera facilement sa place tout en ayant la joie de repartir avec un petit cadeau.

Jadis, à Noël ou au nouvel an, on plaçait à côté de l'assiette de chaque convive un petit cadeau destiné à lui porter bonheur. C'est une tradition charmante qui mérite d'être ravivée. Il n'est pas nécessaire d'offrir des cadeaux coûteux ou élaborés. Dans ce chapitre, nous vous proposons une série d'idées qui vont des papillotes maison aux mignons sachets de lavande qui parfumeront agréablement les armoires de vos hôtes. Nous n'avons pas oublié les friandises, éléments indispensables de toute fête. Quelle que soit l'occasion, les petits cadeaux seront d'autant plus appréciés qu'ils sont présentés avec goût.

Pour Noël, le rouge et le vert
prédominent et les sapins sont partout :
sur le set de table, sur le gâteau et
sur le marque-place. Les petits cadeaux
ont été enveloppés, les uns dans des
papillotes, les autres dans un bas
de laine de Noël. Même les truffes
(en haut à droite) ont été décorées
d'une feuille de houx miniature.

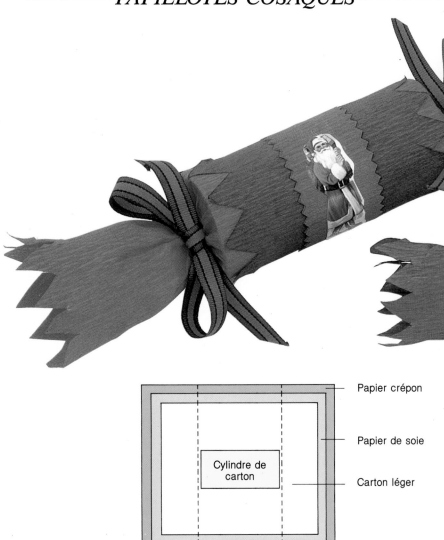

Papier crépon

Papier de soie

Cylindre de carton

Carton léger

Les papillotes cosaques sont traditionnellement associées aux fêtes de Noël, mais vous pouvez les présenter à toute époque de l'année. Le schéma ci-dessus indique les matériaux nécessaires à la réalisation de ce modèle : du papier crépon pour l'extérieur, du papier de soie pour la doublure, du carton et un cylindre pour donner la forme de la papillote.

Découpez les feuilles de papier comme indiqué ci-dessus (de moins en moins grandes en allant vers l'intérieur). Superposez-les et enroulez-les autour du cylindre en les fixant avec de la colle ou avec du ruban adhésif double face. Si vous souhaitez produire un « bang » retentissant à l'ouverture du paquet, placez un pétard en papier entre le papier cartonné et le cylindre.

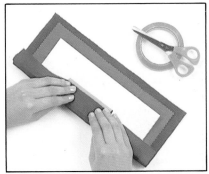

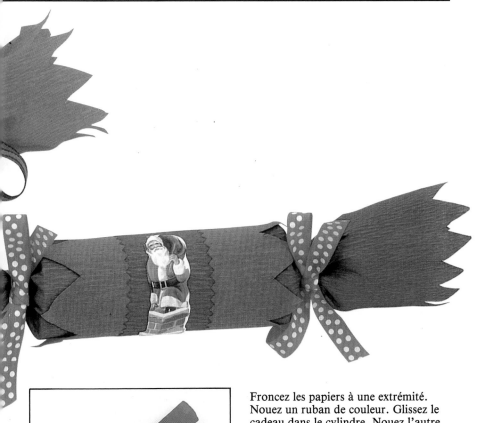

Froncez les papiers à une extrémité. Nouez un ruban de couleur. Glissez le cadeau dans le cylindre. Nouez l'autre extrémité avec un ruban. Coupez les extrémités des rubans en pointe ou en V pour obtenir une jolie finition.

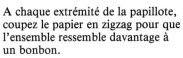

A chaque extrémité de la papillote, coupez le papier en zigzag pour que l'ensemble ressemble davantage à un bonbon.

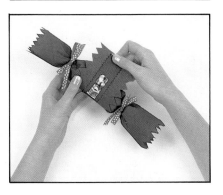

Pour compléter le tout, décorez la papillote en vous inspirant des modèles proposés dans cette page ou dans les suivantes. Ici, nous avons découpé un morceau de papier crépon sur lequel nous avons collé un motif Père Noël.

Pour réaliser les papillotes qui sont la base de ce modèle, suivez les instructions des pages 114-115. Choisissez du papier crépon rouge pour l'extérieur. Découpez ou non les extrémités de la papillote en zigzag.

Découpez un rectangle de papier cadeau noir et blanc ou tout autre papier imprimé. Il doit être suffisamment long pour faire le tour du cylindre. Découpez les bords de la même manière que les extrémités de la papillote. Pour plus de facilité, utilisez des ciseaux à cranter. Enroulez cette bandelette autour de la papillote et collez.

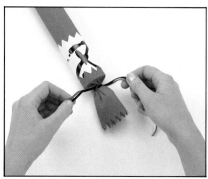

Nouez une première extrémité de la papillote avec 2 longueurs de ruban noir, rouge ou blanc. Glissez le cadeau dans le cylindre. Nouez la deuxième extrémité de la papillote. Ajoutez une étiquette ou écrivez simplement le nom du convive sur la papillote comme nous l'avons fait pour le second modèle.

PAPILLOTES ROMANTIQUES

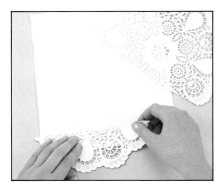

V oici une élégante variante des modèles de papillotes de Noël. Pour réaliser la papillote de base, reportez-vous aux instructions des pages 114-115 en utilisant un papier crépon blanc de 5 cm de moins que la dimension indiquée. Remplacez les 5 cm manquants par des bandes de papier dentelle découpées dans des napperons. Fixez-les avec de la colle ou du ruban adhésif double face.

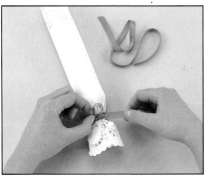

A l'une des extrémités, recouvrez la bordure où se joignent le papier crépon et la dentelle en nouant un ruban de couleur vive. Terminez par une boucle. Glissez le cadeau dans le cylindre. Nouez la seconde extrémité comme précédemment. Rectifiez les boucles et la dentelle.

Découpez une image de fleurs dans une vieille carte de voeux ou dans un catalogue de jardinage. Collez l'image sur la papillote. Vous pouvez également vous procurez des motifs autocollants et assortir l'image à votre service de table.

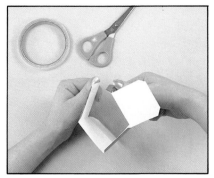

Cette splendide petite boîte convient parfaitement à un cadeau plus précieux. Sur une feuille de carton doré, dessinez le gabarit ci-dessous en respectant soigneusement les dimensions indiquées. Découpez la forme. Marquez les plis (lignes en pointillés) avec le dos d'un cutter ou la pointe des ciseaux.

Pliez la boîte. Collez les pattes sur les bords correspondants pour former la boîte. Laissez sécher. Glissez le cadeau dans la boîte. Nouez avec un morceau de ruban ou de bolduc doré. Fixez une rosette en tulle avec un point de colle ou du ruban adhésif double face.

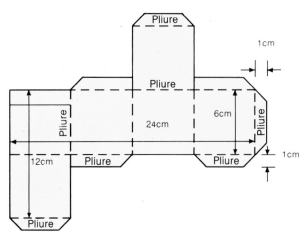

Pour égayer une boîte un peu trop sobre, confectionnez un pompon en papier crépon ou en papier de soie de couleur vive. Pliez une grande feuille de papier de manière à obtenir au moins 12 épaisseurs de papier de 4 cm de côté. A l'aide d'une tasse ou d'un verre, tracez un cercle sur le carré. Découpez. Agrafez les différentes couches de papier entre elles au centre.

Découpez des franges de 5 mm de large en veillant à ne pas couper le centre du cercle (voir photo). Faites bouffer le papier pour former le pompon. Collez la garniture sur la boîte. Pour réaliser la boîte présentée ici, reportez le gabarit ci-dessous sur une feuille de carton en vous aidant des instructions de la page précédente pour le montage.

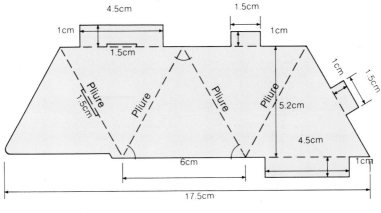

Si vous possédez déjà des boîtes pour vos cadeaux, apportez-leur une touche personnelle en les décorant à votre manière. Par exemple, peignez une petite boîte en bois naturel en forme de coeur en rouge. Laissez sécher. Avec un pinceau très fin, peignez des petits points noirs (ou tout autre motif simple) sur toute la boîte.

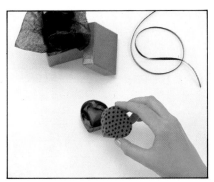

Glissez dans la boîte un chocolat protégé par un petit morceau de ruban rouge. Posez le couvercle et fermez par un morceau de fin ruban noir noué joliment.

Un ruban original associé à une simple boîte rouge et votre paquet prendra un air de fête. Si vous ne possédez pas de ruban moucheté, réalisez-le vous-même en peignant des points blancs sur un ruban noir. Utilisez de la peinture pour tissu et un pinceau très fin.

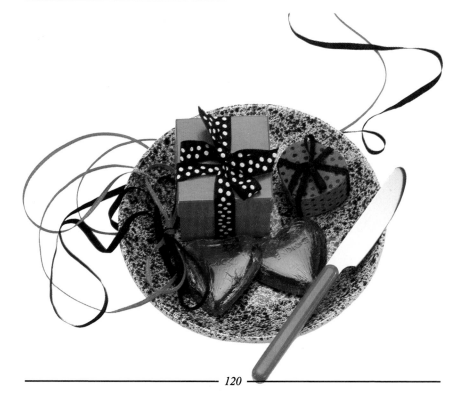

Cette idée d'une étonnante simplicité donnera un résultat très spectaculaire. Les gourmands seront particulièrement sensibles aux délicieux bonbons que vous placerez dans ce sachet raffiné. Coupez un napperon en papier doré en 2. Rabattez les bords de manière à former un cône que vous collerez avec du ruban adhésif double face.

Découpez un carré de tulle pour voilette à chapeau. Si vous le doublez, l'effet sera encore plus réussi. Placez le tulle sur la paume de la main, posez le cône doré par-dessus et remplissez-le de bonbons. Ici, nous avons choisi des dragées noires et dorées.

Rassemblez le tulle et le napperon de papier au sommet du sachet en laissant dépasser le tulle davantage que le papier. Liez les fronces avec un élastique ou en enroulant plusieurs fois un morceau de fil à coudre autour des fronces. Coupez 2 longueurs égales de ruban doré et de ruban noir. Nouez-les sur l'élastique et terminez par une boucle sur le devant.

Ce gracieux bouquet embaumera votre table et les convives pourront l'emporter chez eux en souvenir d'une bonne soirée. Rassemblez 5 ou 6 fleurs. Liez les tiges avec un morceau de fil de laiton. Serrez bien de manière à ce que le bouquet reste bien rond.

Pliez un petit napperon en papier en 2. Avec une paire de petits ciseaux, percez un trou dans un napperon en papier plus grand. Glissez les tiges du bouquet dans ce trou.

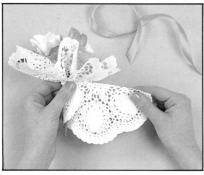

Froncez le napperon autour du bouquet et maintenez-le ainsi entre les doigts. De l'autre main, enroulez le napperon plié en 2 autour des tiges pour les dissimuler en veillant à bien recouvrir les fronces centrales du grand napperon. Fixez avec du ruban adhésif ou avec une agrafe. Recouvrez la jointure avec un morceau de ruban de satin assorti au bouquet et terminez par une boucle.

ENVELOPPE FLEURIE

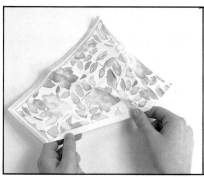

Pour réaliser cette enveloppe insolite, nous avons utilisé du papier cadeau à motif fleuri. Vous la remplirez de bonbons acidulés ou de dragées colorées. Reportez le gabarit ci-dessous sur l'envers du papier. Découpez et pliez en suivant les pointillés. Collez la patte au dos avec de la colle ou du ruban adhésif double face.

Fixez un morceau de cordelette de couleur à l'intérieur de l'enveloppe (voir photo) avec une colle forte. Glissez les bonbons ou le cadeau dans la pochette et fermez le rabat par un point de colle. Recouvrez la pointe d'une image découpée sur une vieille carte de vœux ou d'un autocollant assorti au motif du papier.

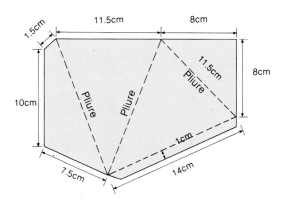

Après avoir décoré votre table, ces sachets de lavande pourront parfumer les armoires de vos invités. Il vous faut de la lavande séchée, un carré de mousseline de coton, 2 carrés de tulle (lilas et blanc) et un morceau de ruban. Pour sécher vous-même la lavande, cueillez les gerbes juste avant la pleine floraison et suspendez-les la tête en bas dans une pièce sèche et bien aérée.

Etalez le carré de tulle blanc à plat, sur le carré de tulle lilas. Placez le carré de mousseline par-dessus et disposez au centre un petit tas de fleurs de lavande que vous aurez détachées des tiges. Rassemblez les 3 épaisseurs de manière à former un petit sachet arrondi.

Nouez le ruban autour des épaisseurs de tissu pour fermer le sachet. Terminez par une boucle et rectifiez la longueur du ruban. Placez le cadeau ainsi réalisé sur une assiette et ajoutez quelques brins de lavande et des fleurs fraîches pour compléter la composition.

Quelques petits savons parfumés et un carré de tissu imprimé suffisent à composer un cadeau adorable. Procurez-vous des chutes de tissu en choisissant de beaux motifs. Coupez un morceau de tissu de 15 cm de côté avec des ciseaux à cranter. Les bords seront ainsi plus décoratifs et vous n'aurez pas besoin de coudre d'ourlet.

Pour réaliser le sachet rond, placez les savons au milieu du carré. Rassemblez les coins au-dessus des savons pour former un bouquet de tissu. Nouez un ruban de couleur différente et terminez par une jolie boucle. Pour réaliser l'enveloppe plate, repliez les 4 coins du tissu par-dessus les savons (voir photo) en veillant à ce qu'ils se chevauchent bien au centre.

Maintenez les rabats de l'enveloppe et attachez-les avec un ruban de couleur différente. Terminez par une belle boucle souple.

Voici une manière subtile et raffinée de servir la traditionnelle friture en chocolat de Pâques. Les magasins spécialisés vendent des moules qui vous permettront éventuellement de confectionner la friture vous-même. Coupez un grand napperon en papier en 2. Coupez la moitié du napperon encore en 2 pour obtenir un quart de cercle.

Procurez-vous 2 coquilles Saint-Jacques vides. Placez la moitié du napperon sur la grande coquille, le bord droit du papier sur le bord arrondi de la coquille. Placez un quart de napperon sur la petite coquille, le bord arrondi du papier sur le bord arrondi de la coquille. Prenez un ruban de satin bleu de 30 cm de long. Pliez-le en 2 et posez-le sur la grande coquille.

En maintenant le ruban en place, placez la petite coquille sur la grande. Si nécessaire, rectifiez la disposition des morceaux de napperon de manière à ce que la dentelle soit bien visible. Remplissez la petite coquille de friture en chocolat et de vrais coquillages. Disposez ces coupes dans les assiettes, sur une serviette bleue pour mettre en valeur les bords de dentelle.

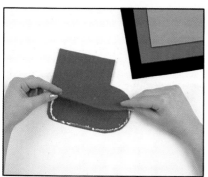

Cet adorable marque-place fera la joie des enfants. Découpez 2 formes de botte dans de la feutrine rouge (ou une autre couleur vive). Assurez-vous qu'elles sont suffisamment larges pour contenir un ours en chocolat ou le présent que vous avez choisi. Collez les formes avec de la colle pour tissu en laissant le haut de la botte ouvert.

Dans des morceaux de feutrine de couleurs différentes, découpez une bandelette en zigzag pour orner le bord de la botte et des lettres pour confectionner le nom de l'enfant.

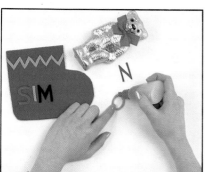

Collez la bandelette et les lettres avec de la colle pour tissu (voir photo). Enfin, glissez le cadeau dans la botte en le laissant légèrement dépasser si vous avez choisi, comme pour notre modèle, une figurine.

L'éditeur tient à remercier pour leur aide à l'élaboration de cet ouvrage :
Hallmark Cards Ltd ; The House of Mayfair et Paperchase Ltd.

Titre original en langue anglaise : *The creative Book of Table Decorations*
Traduction de Hélène Tordo, Scribo.
Adaptation française de Geneviève de Temmerman.
Croquis : Kathy Gummer - Photos : Steve Tanner

© Salamander Books Ltd, Londres, 1987.
© Éditions Fleurus, Paris, août 1988 pour les éditions en langue française.
ISBN 2.215.01143.2.
Dépôt légal à la date de parution
Achevé d'imprimer en février 1991
par Proost International Book Production, Belgique
4e édition